# ROMANCE NEGRO

PATRICIA
REBECCOLOO

# ÍNDICE

*A ARTE DE ANDAR*
*NAS RUAS DO RIO DE JANEIRO*

*Em uma palavra, a desmoralização era geral.*
*Clero, nobreza e povo estavam todos pervertidos.*

Joaquim Manuel de Macedo, *Um passeio*
*pela cidade do Rio de Janeiro* (1862-3)

Augusto, o andarilho, cujo nome verdadeiro é Epifânio, mora num sobrado em cima de uma chapelaria feminina, na rua Sete de Setembro, no centro da cidade, e anda nas ruas o dia inteiro e parte da noite. Acredita que ao caminhar pensa melhor, encontra soluções para os problemas; solvitur ambulando, diz para seus botões.

No tempo em que trabalhava na companhia de águas e esgotos ele pensou em abandonar tudo para viver de escrever. Mas João, um amigo que havia publicado um livro de poesia e outro de contos e estava escrevendo um romance de seiscentas páginas, lhe disse que o verdadeiro escritor não devia viver do que escrevia, era obsceno, não se podia servir à arte e a Mammon ao mesmo tempo, portanto era melhor que Epifânio ganhasse o pão de cada dia na companhia de águas e esgotos, e escrevesse à noite. Seu amigo era casado com uma mulher que sofria dos rins, pai de um filho asmático e hospedeiro de uma sogra débil mental e mesmo assim cumpria suas obrigações para com a literatura. Augusto voltava para casa e não conseguia se livrar dos problemas da companhia de águas e esgotos; uma cidade grande gasta muita água e produz muito excremento. João dizia que havia um ônus a pagar pelo ideal artístico, pobreza, embriaguez, loucura, escárnio dos tolos, agressão dos invejosos, incompreensão dos amigos,

*11*

solidão, fracasso. E provou que tinha razão morrendo de uma doença causada pelo cansaço e pela tristeza, antes de acabar seu romance de seiscentas páginas. Que a viúva jogou no lixo, junto com outros papéis velhos. O fracasso de João não tirou a coragem de Epifânio. Ao ganhar um prêmio numa das muitas loterias da cidade, pediu demissão da companhia de águas e esgotos para dedicar-se ao trabalho de escrever, e adotou o nome de Augusto. Agora ele é escritor e andarilho. Assim, quando não está escrevendo — ou ensinando as putas a ler —, ele caminha pelas ruas. Dia e noite, anda nas ruas do Rio de Janeiro.

Exatamente às três da madrugada, ao soar, no seu Casio Melody de pulso, a *Mit dem Paukenschlag*, de Haydn, Augusto volta de suas caminhadas para o sobrado vazio onde mora, e senta-se, depois de dar comida para os ratos, em frente à pequena mesa ocupada quase por inteiro pelo enorme caderno de folhas pautadas onde escreve seu livro, sob a grande claraboia, por onde entra um pouco da luz da rua, misturada com luar quando as noites são de lua cheia.

Em suas andanças pelo centro da cidade, desde que começou a escrever o livro, Augusto olha com atenção tudo o que pode ser visto, fachadas, telhados, portas, janelas, cartazes pregados nas paredes, letreiros comerciais luminosos ou não, buracos nas calçadas, latas de lixo, bueiros, o chão que pisa, passarinhos bebendo água nas poças, veículos e principalmente pessoas.

Outro dia entrou pela primeira vez no cinema-templo do pastor Raimundo. Encontrou o cinema-templo por acaso, o médico do Instituto lhe dissera que um problema na mácula da sua retina exigia tratamento com vitamina E combinada com selênio e o remetera imprecisamente para uma farmácia que preparava essa substância, na rua Senador Dantas, em algum lugar perto da Alcindo Guanabara. Ao sair da farmácia, e após caminhar um pouco, passou na porta do cinema, leu o pequeno cartaz que dizia IGREJA DE JESUS SALVADOR DAS ALMAS DAS 8 ÀS 11 DIARIAMENTE e entrou sem saber por quê.

Todas as manhãs, das oito às onze, todos os dias da semana, o cinema é ocupado pela Igreja de Jesus Salvador das Almas. A partir das duas da tarde exibe filmes pornográficos. À noite, depois da última sessão, o gerente guarda os cartazes com mulheres nuas e frases publicitárias indecorosas num depósito ao lado do sanitário. Para o pastor da igreja, Raimundo, e também para os fiéis — umas quarenta pessoas, na maioria mulheres idosas e jovens com problemas de saúde — a programação habitual do cinema não tem importância, todos os filmes são, de qualquer forma, pecaminosos; e todos os crentes da igreja nunca vão ao cinema, por proibição expressa do bispo, nem para ver a vida de Cristo, na Semana Santa.

A partir do momento em que o pastor Raimundo coloca à frente da tela do cinema uma vela, na verdade uma lâmpada elétrica num pedestal que imita um lírio, o local torna-se um templo consagrado a Jesus. O pastor espera que o bispo compre o cinema, como fez em alguns bairros da cidade, e ali instale uma igreja permanente, vinte e quatro horas por dia, mas sabe que a decisão do bispo depende dos resultados do trabalho dele, Raimundo, junto aos fiéis.

Augusto está indo ao cinema-templo naquela manhã, pela terceira vez em uma semana, com o intuito de aprender a música que as mulheres cantam, *Vai embora, vai embora, Satanás, meu corpo não é teu, minha alma não é tua, Jesus te passou para trás*, uma mistura de rock e samba-enredo. Satanás é uma palavra que o atrai. Há muito ele não entra num local onde as pessoas rezam ou façam coisa parecida. Lembra-se de quando criança ter ido durante anos seguidos a uma grande igreja cheia de imagens e pessoas tristes, na Sexta-feira da Paixão, levado por sua mãe, que o obrigava a beijar o pé de Nosso Senhor Jesus Cristo deitado com uma coroa de espinhos na cabeça. Sua mãe morreu. Uma recordação difusa da cor roxa nunca o abandonou. Jesus é roxo, a religião está ligada ao roxo, sua mãe é roxa ou era roxo o cetim que forrava o caixão dela? Mas não há nada roxo naquele templo-cinema com leões-de-chácara que o vigiam de longe, dois jovens, um branco e um mulato, magros, pequenos, camisa social de mangas curtas e gravata escura, circulando entre os fiéis e nunca se aproximando da poltrona dos fundos onde ele está sentado, imóvel, de óculos escuros.

Quando cantam *Vai embora, Satanás, Jesus te passou para trás*, as mulheres levantam os braços jogando as mãos para trás sobre as cabeças, como se estivessem empurrando o demônio para longe; os leões-de-chácara de camisa de manga curta fazem o mesmo; o pastor Raimundo, porém, segurando o microfone, comanda o coro levantando apenas um braço.

Neste dia, o pastor fixa sua atenção no homem de óculos escuros, sem uma orelha, no fundo do cinema, enquanto diz "meus irmãos, quem estiver com Jesus levante as mãos". Todos os fiéis levantam as mãos, menos Augusto. O pastor percebe, muito perturbado, que Augusto permanece imóvel, como uma estátua, os olhos escondidos pelas lentes escuras. "Levantem as mãos", repete emocionado, e alguns fiéis respondem erguendo-se na ponta dos pés e estendendo ainda mais os braços para o alto. Mas o homem sem orelha não se mexe.

O pastor Raimundo migrou do Ceará para o Rio de Janeiro quando tinha sete anos, junto com a família que fugia da seca e da fome. Aos vinte anos era camelô na rua Geremário Dantas, em Madureira; aos vinte e seis, pastor da Igreja Jesus Salvador das Almas. Todas as noites, agradecia a Jesus essa imensa graça. Tinha sido um bom camelô, não enganava os fregueses, e um dia um pastor, ouvindo-o vender suas mercadorias de maneira persuasiva, pois sabia falar uma palavra depois da outra com a velocidade correta, convidou-o a entrar para a Igreja. Em pouco tempo Raimundo chegou a pastor; agora tem trinta anos, quase se livrou do sotaque nordestino, adquiriu a fala neutra de certos cariocas, pois assim, imparcial e universal, deve ser a palavra de Jesus. É um bom pastor, como foi um bom camelô e um bom filho, pois tomou conta da sua mãe quando ela ficou paralítica e fazia cocô na cama, até o dia da sua morte. Ele não consegue esquecer o corpo senil, decadente e moribundo de sua mãe, principalmente as partes genitais e excretoras, que era obrigado a limpar todos o dias; às vezes tem sonhos asquerosos com sua mãe e lamenta que ela não tenha morrido de enfarto aos cinqüenta anos, não que ele se lembre de como ela era aos cinqüenta, ele só se lembra da mãe velha e repelente. Por saber dizer com rapidez e significados corretos uma palavra depois da outra, foi transferido da Baixada para o centro da cidade, pois a Igreja de Jesus Salvador das Almas queria levar a palavra de Deus até os bairros mais impenetráveis, como o centro da cidade. O centro da cidade é um mistério. A Zona Sul também é trabalhosa, os ricos desprezam a Igreja evangélica, religião de gente pobre, e na Zona Sul a igreja é freqüentada nos dias da semana por velhas e jovens doentinhos, que são os fiéis mais fiéis, e aos domingos por empregadas, porteiros, faxineiros, uma gente parda e mal vestida. Mas os ricos são piores pecadores e precisam ainda mais da salvação do que os pobres. Um dos sonhos de Raimundo é ser transferido do centro para a Zona Sul e chegar ao coração dos ricos.

Mas o número dos fiéis que vão ao cinema-templo não tem aumentado e Raimundo talvez tenha que ir pregar em outro templo, talvez seja obrigado a voltar para a Baixada, pois fracassou, não soube levar de maneira convincente a palavra de Jesus onde a Igreja de Jesus Salvador das Almas mais precisa ser ouvida, principalmente nos dias de hoje, em que os católicos, com seus templos às moscas, abandonam suas posturas intelectuais e contra-atacam com o chamado movimento carismático, reinventando o milagre, recorrendo ao curandeirismo e ao exorcismo. Eles, os católicos, já tinham voltado a admitir que só existe o milagre se existir o demônio, o bem dominando o mal; mas ainda era preciso que percebessem que o demônio não é metafísico. Você pode pegar no demônio, em certas ocasiões ele parece de carne e osso, mas possui sempre uma pequena diferença em seu corpo, uma característica insólita; e você pode cheirar o demônio, ele fede quando está distraído.

Mas o problema dele, Raimundo, não é com as altas políticas da relação de sua Igreja com a Igreja católica, este é um problema do bispo; o problema de Raimundo são os fiéis da sua igreja, a arrecadação periclitante do dízimo. E ele está inquieto, também, com aquele homem de óculos escuros, sem uma orelha, que não levantou a mão em apoio a Jesus. Depois que o homem apareceu, Raimundo passou a sofrer de insônia, a ter dores de cabeça e a emitir gases intestinais de odor mefítico que queimam seu cu ao serem expelidos.

Esta noite, enquanto Raimundo não dorme, Augusto, sentado em frente ao seu enorme caderno de folhas pautadas, anota o

15

que vê ao caminhar pela cidade e escreve seu livro *A arte de andar nas ruas do Rio de Janeiro*.

Ele se mudou para o sobrado da chapelaria para melhor escrever o primeiro capítulo, que compreende, apenas, a arte de andar no centro da cidade. Não sabe qual capítulo será o mais importante, no fim de tudo. O Rio é uma cidade muito grande, guardada por morros, de cima dos quais pode-se abarcá-la, por partes, com o olhar, mas o centro é mais diversificado e obscuro e antigo, o centro não tem um morro verdadeiro; como ocorre com o centro das coisas em geral, que ou é plano ou é raso, o centro da cidade tem apenas uma pequena colina, indevidamente chamada de morro da Saúde, e para se ver o centro de cima, e assim mesmo mal e parcialmente, é preciso ir ao morro de Santa Teresa, mas esse morro não fica em cima da cidade, fica meio de lado, e dele não dá para se ter a menor idéia de como é o centro, não se vêem as calçadas das ruas, quando muito vê-se em certos dias o ar poluído pousado sobre a cidade.

Em suas perambulações Augusto ainda não saiu do centro da cidade, nem sairá tão cedo. O resto da cidade, o imenso resto que somente o satanás da Igreja de Jesus Salvador das Almas conhece inteiramente, será percorrido no momento oportuno.

O primeiro dono do prédio da chapelaria morou lá com a família muitos anos atrás. Seus descendentes foram alguns dos poucos comerciantes que continuaram morando no centro da cidade depois da grande debandada para os bairros, principalmente para a Zona Sul. Desde os anos 40, quase ninguém morava mais nos sobrados das principais ruas do centro, no miolo comercial da cidade, que podia ser contido numa espécie de quadrilátero, tendo como um dos lados o traçado da avenida Rio Branco, o outro uma linha sinuosa que começasse na Visconde de Inhaúma e continuasse pela Marechal Floriano até a rua Tomé de Souza, que seria o terceiro lado, e finalmente, o quarto lado, um percurso meio torto que tivesse início na Visconde do Rio Branco, passasse pela praça Tiradentes e pela rua da Carioca até a Rio Branco, fechando o espaço. Os sobrados, nessa área, passaram a servir de depósitos de mercadorias. Como os negócios da chapelaria foram diminuindo gradativamente a cada ano, pois as mulheres deixaram de usar chapéus, até mesmo em casamentos, e não havia mais necessidade de um depósito, pois o pequeno estoque de mercadorias podia ficar todo na loja, o sobrado, que não interessava a ninguém, ficou vazio. Um dia Augusto passou na porta da chapelaria e parou para ver os balcões de ferro lavrado em sua fachada, e o dono, um velho que havia vendido apenas um chapéu naquele semestre, saiu da loja e veio conversar com ele. O velho disse que ali havia sido a casa do conde de Estrela, no tempo em que a rua se chamava rua do Cano porque nela passava o encanamento de água para o chafariz do largo do Paço, largo que depois se chamou praça D. Pedro II e depois praça Quinze. "A mania que essa gente tem de mudar os nomes das ruas. Venha ver uma coisa." O velho subiu com Augusto para o sobrado e mostrou-lhe uma clarabóia cujo vidro era do tempo da construção, tinha mais de noventa anos. Augusto ficou encantado com a clarabóia, com um enorme salão vazio, com os quartos, com o banheiro de louça inglesa e com os ratos que se escondiam quando eles passavam. Gostava de ratos; em criança criara um rato ao qual se afeiçoara, mas a amizade entre os dois se rompera no dia em que o rato lhe deu uma dentada no dedo. Mas continuava gostando de ratos. Diziam que os dejetos, os carrapatos e as pulgas dos ratos transmitiam doenças horríveis, mas ele sempre se dera bem com eles, com exceção daquele pequeno problema da mordida. Gatos também transmitiam doenças horríveis, dizia-se, e cães transmitiam doenças horríveis, dizia-se, e seres humanos transmitiam doenças horríveis, isso ele sabia. "Os ratos nunca vomitam", Augusto disse para o velho. O velho lhe perguntou como se arranjavam quando comiam uma comida que lhes fizesse mal, e Augusto respondeu que os ratos nunca comiam uma comida que lhes fizesse mal, pois eram muito cuidadosos e seletivos. O velho, que tinha uma mente arguta, perguntou então como muitos ratos morriam envenenados, e Augusto explicou que para matar um rato era preciso um veneno muito potente que matasse com uma pequena e única mordida do roedor e de qualquer maneira não eram muitos os ratos que morriam envenenados, considerando-se o total da sua população. O velho, que também gostava de ratos e pela primeira vez encontrava alguém que tivesse pelos roedores o mesmo carinho e gostasse de velhas clarabóias, e apesar de ter inferido pela conversa com Augusto que este "era um niilista", convidou-o a morar no sobrado.

Augusto está no enorme salão, sob a grande clarabóia, a escrever o seu livro, a parte referente ao centro da imensa cidade. Às vezes pára de ler e contempla, com uma pequena lente de examinar tecidos, a lâmpada dependurada no teto.

Quando tinha oito anos, conseguiu uma lente que servia para examinar fibras de tecidos na loja do seu pai, essa mesma lente que usa neste momento. Deitado, naquele ano distante, olhou pela lente a lâmpada no teto da casa onde morava, que era também um sobrado ali no centro da cidade, e cuja fachada foi destruída para dar lugar a uma imensa placa luminosa de acrílico de uma loja de eletrodomésticos; no rés-do-chão seu pai tinha uma loja e conversava com as mulheres fumando seu cigarrinho fino, e ria, e as mulheres riam, seu pai era outro homem na loja, mais interessante, rindo para aquelas mulheres. Augusto lembra-se daquela noite, em que ficou olhando para a lâmpada no teto e através da lente viu seres cheios de garras, patas, hastes ameaçadoras, e imaginou, assustado, o que poderia acontecer se uma coisa daquelas descesse do teto; os bichos ora apareciam, ora desapareciam, e o deixavam amedrontado e fascinado. Afinal descobriu, quando o dia amanhecia, que os bichos eram as suas pestanas; quando piscava, o monstro aparecia na lente, quando abria os olhos, o monstro sumia.

Depois de observar, no sobrado com clarabóia, os monstros na lâmpada do grande salão — ainda tem pestanas longas e ainda tem a lente de ver tecidos —, Augusto volta a escrever sobre a arte de andar nas ruas do Rio. Como anda a pé, vê coisas diferentes de quem anda de carro, ônibus, trem, lancha, helicóptero ou qualquer outro veículo. Ele pretende evitar que seu livro seja uma espécie de guia de turismo para viajantes em busca do exótico, do prazer, do místico, do horror, do crime e da miséria, como é do interesse de muitos cidadãos de recursos, estrangeiros prin-

cipalmente; seu livro também não será um desses ridículos ma-
nuais que associam o andar à saúde, ao bem-estar físico e às no-
ções de higiene. Também toma cautela para que o livro não se
torne um pretexto, à maneira de Macedo, para arrolar descrições
históricas sobre potentados e instituições, ainda que, tal como o
romancista das donzelas, ele às vezes se entregue a divagações pro-
lixas. Nem será um guia arquitetônico do Rio antigo ou compên-
dio de arquitetura urbana; Augusto quer encontrar uma arte e uma
filosofia peripatéticas que o ajudem a estabelecer uma melhor comunhão com a cidade. Solvitur ambulando.

São onze horas da noite e ele está na rua Treze de Maio. Além
de andar ele ensina as prostitutas a ler e a falar de maneira correta.
A televisão e a música pop tinham corrompido o vocabulário dos
cidadãos, das prostitutas principalmente. É um problema que tem
de ser resolvido. Ele tem consciência de que ensinar prostitutas
a ler e a falar corretamente em seu sobrado em cima da chapelaria
pode ser, para elas, uma forma de tortura. Assim, oferece-lhes dinheiro para ouvirem suas lições, pouco dinheiro, bem menos do
que a quantia usual que um cliente paga. Da rua Treze de Maio
vai para a avenida Rio Branco, deserta. O Teatro Municipal anun-
cia uma récita de ópera para o dia seguinte, a ópera tem entrado
e saído de moda na cidade desde o início do século. Dois jovens
escrevem com spray nas paredes do teatro, que acabou de ser pintado e exibe poucas obras de grafiteiro, NÓS OS SÁDICOS DO CACHAMBI
TIRAMOS O CABASSO DO MUNICIPAL GRAFITEROS UNIDOS JAMAIS SERÃO VEN-
SIDOS; sob a frase, o logotipo-assinatura dos Sádicos, um pênis, que
no princípio causara estranheza aos estudiosos da grafitologia mas
que já se sabe ser de porco com uma glande humana. "Hei", diz
Augusto para um dos jovens, "cabaço é com cê-cedilha, vencidos
não é com s, e falta um i no grafiteiros." O jovem responde, "Tio,
você entendeu o que a gente quer dizer, não entendeu?, então
foda-se com suas regrinhas de merda".

Augusto vê um vulto tentando se esconder na rua que fica
atrás do teatro, a Manoel de Carvalho, e reconhece um sujeito chamado Hermenegildo que não faz outra coisa na vida senão di-

vulgar um manifesto ecológico contra o automóvel. Hermenegildo carrega uma lata de cola, uma broxa e dezoito manifestos enrolados num canudo. O manifesto é grudado com uma cola especial de grande aderência nos pára-brisas dos carros estacionados nas ruas. Hermenegildo faz um sinal para que Augusto se aproxime do lugar onde ele se esconde. É comum eles se encontrarem de madrugada, nas ruas. "Preciso da sua ajuda", diz Hermenegildo.

Os dois caminham até a rua Almirante Barroso, entram à direita, seguindo até a avenida Presidente Antônio Carlos. Augusto leva a lata de cola. O objetivo de Hermenegildo nesta noite é penetrar na garagem pública Menezes Cortes sem ser pressentido pelos seguranças. Já tentou a empreitada duas vezes, sem sucesso. Mas acredita que hoje terá melhor sorte. Sobem pela rampa até o primeiro andar, fechado ao trânsito, onde estão os carros com vaga cativa, muitos estacionados a noite inteira. Normalmente um ou dois seguranças ficam por ali, mas hoje não há ninguém. Os guardas provavelmente estão todos no andar de cima, conversando para passar o tempo. Em pouco mais de vinte minutos Hermenegildo e Augusto colam os dezessete manifestos nos pára-brisas dos carros mais novos. Depois descem pelo mesmo caminho, entram pela rua da Assembléia e se separam na esquina da Quitanda. Augusto volta para a avenida Rio Branco. Na avenida entra à esquerda, passa novamente pela porta do Municipal, onde se detém, algum tempo, a olhar o desenho do pênis eclético. Vai até a Cinelândia, urinar no McDonald's. Os McDonald's são lugares limpos para urinar, ainda mais se comparados com os banheiros dos botequins, cujo acesso é complicado; no botequim ou bar é preciso pedir a chave do banheiro, que vem presa num enorme pedaço de madeira para não ser extraviada, e o banheiro fica sempre num lugar sem ar, catinguento e imundo, mas os dos McDonald's são inodoros, ainda que também não tenham janelas, e estão bem localizados para quem anda no centro. Este fica na Senador Dantas quase em frente ao teatro, tem uma saída para a Álvaro Alvim e o banheiro fica perto dessa saída. Há outro McDonald's na rua São José, próximo da rua da Quitanda, outro na avenida Rio Branco perto da rua da Alfândega. Augusto abre a porta do banheiro com o cotovelo, um truque que ele inventou, as maçanetas das portas dos banheiros estão cheias de germes de doenças sexuais. Num dos compartimentos fechados um sujeito acabou de defecar e assobia satisfeito. Augusto urina num dos vasos de aço inoxidável, lava as mãos usando o sabão que retira pressionando o bico de metal do recipiente de vidro transparente preso na parede ao lado do espelho, um líquido verde sem cheiro e que não faz espuma por mais que esfregue as mãos; depois enxuga as mãos na toalha de papel e sai, abrindo a porta sempre com o cotovelo, para a rua Álvaro Alvim.

Próximo do Cinema Odeon uma mulher sorri para ele. Augusto se aproxima dela. "Você é um travesti?", pergunta. "Que tal você mesmo descobrir?", diz a mulher. Mais adiante entra na Casa Angrense, ao lado do Cinema Palácio, e pede uma água mineral. Abre lentamente o copo de plástico e, enquanto bebe em pequenos goles, como um rato, observa as mulheres em volta. Uma mulher que toma um cafezinho é escolhida por ele, porque não tem um dente na frente. Augusto se aproxima. "Você sabe ler?" A mulher o encara com a sedução e a falta de respeito que as putas sabem demonstrar para os homens. "Claro que sei", diz ela. "Eu não sei e queria que você me dissesse o que está escrito ali", diz Augusto. Refeição comercial. "Não vendemos fiado", diz ela. "Você está livre?" Ela informa o preço e menciona um hotel na rua das Marrecas, que antes se chamava rua das Boas Noites e havia ali a Casa dos Expostos da Santa Casa, mais de cem anos atrás; e a rua já se chamou rua Barão de Ladário e se chamou também rua André Rebouças, antes de ser rua das Marrecas; e depois seu nome foi mudado para rua Juan Pablo Duarte, mas o nome não pegou e voltou a ser rua das Marrecas. Augusto diz que mora perto e propõe irem para a casa dele.

Caminham juntos, constrangidos. Ele compra um jornal na banca em frente à rua Álvaro Alvim. Vão para o sobrado da chapelaria seguindo pela rua Senador Dantas até o largo da Carioca, vazio e sinistro àquela hora. A mulher pára em frente ao poste de luz de bronze com um relógio no ápice, ornamentado com quatro mulheres também de bronze com os seios de fora. Ela diz que quer ver se o relógio está funcionando, mas como sempre o relógio está parado. Augusto manda a mulher andar, para não serem assaltados; nas ruas desertas é preciso andar muito depressa, nenhum assaltante corre atrás do assaltado, precisa chegar perto, pedir um cigarro, perguntar as horas, precisa poder anunciar o assalto para que o assalto se consume. O pequeno trecho da rua Uruguaiana até a Sete de Setembro está silencioso e sem movimento, os marquiseiros têm que acordar cedo e dormem placidamente nas portas das lojas, enrolados em mantas ou jornais, com a cabeça coberta.

Augusto entra no sobrado, bate com os pés, anda com passo diferente, sempre faz isso quando vem com uma mulher, para que os ratos saibam que um estranho está chegando e se escondam. Não quer que ela se assuste, as mulheres, por alguma razão, não gostam de ratos, ele sabe disso, e os ratos, por um motivo ainda mais misterioso, odeiam as mulheres.

Augusto retira o caderno onde escreve *A arte de andar nas ruas do Rio de Janeiro* de cima da mesa sob a clarabóia, colocando em seu lugar o jornal que comprou. Sempre usa um jornal novo nas primeiras lições.

"Senta aqui", diz para a mulher.

"Onde está a cama?", diz ela.

"Anda, senta", diz ele, sentando-se na outra cadeira. "Eu sei ler, desculpe ter mentido para você. Sabe o que estava escrito naquele cartaz no bar? Refeição comercial. Eles não vendem fiado, é verdade, mas isso não estava escrito na parede. Eu quero te ensinar a ler, pago o combinado."

"Você é broxa?"

"Isso não interessa. O que você vai fazer aqui é aprender a ler."

"Não adianta, já tentei e não consegui."

"Mas eu tenho um método infalível. Basta um jornal."

"Eu nem sei soletrar."

"Você não vai soletrar, esse é o segredo do meu método, o Ivo não vê o ovo. Meu método se baseia numa simples premissa: nada de soletração."

"O que é isso aí em cima?"

"Uma clarabóia. Vou te mostrar uma coisa."

Augusto apaga a luz. Aos poucos uma luz azulada penetra pela clarabóia.

"Que luz é essa?"

"É a lua. Hoje é lua cheia."

"Caramba! Há anos que eu não via a lua. Onde fica a cama?"

"Vamos trabalhar." Augusto acende a lâmpada elétrica.

O nome da moça é Kelly, e com ela serão vinte e oito as putas a quem Augusto ensinou a ler em quinze dias pelo seu método infalível.

De manhã, deixando Kelly a dormir na cama dele — ela pediu para ficar no sobrado aquela noite e ele dormiu numa esteira no chão —, Augusto vai até a Ramalho Ortigão, passa ao lado da igreja de São Fancisco e entra na rua do Teatro, onde agora há um novo ponto de jogo do bicho, um sujeito sentado num banco escolar anotando num bloco as apostas dos pobres que não perderam a esperança, e eles devem ser muitos, os miseráveis que não perderam a fé, pois cada vez há mais pontos de jogo espalhados pela cidade. Augusto tem um destino naquele dia, como aliás em todos os dias que sai de casa; ainda que pareça deambular, nunca anda exatamente ao léu. Pára na rua do Teatro e olha para o sobrado onde sua avó morava, em cima do que agora é uma loja que vende incenso, velas, colares, charutos e outros materiais de macumba, mas que ainda outro dia era uma loja que vendia retalhos de tecidos baratos. Sempre que passa por ali lembra-se de um parente — a avó, o avô, três tias, um tio postiço, uma prima. Neste dia, dedica suas lembranças ao avô, um homem cinzento de nariz grande, do qual costumava tirar melecas, e que fazia pequenos autômatos, passarinhos que cantavam em poleiros dentro de gaiolas, um macaco pequeno que abria a boca e rosnava como um cão. Tenta se lembrar da morte do avô e não consegue, o que o deixa muito nervoso. Não que ele amasse o avô, o velho sempre demonstrou dar mais importância aos bonecos que construía do que aos netos, mas ele compreendia isso, achava razoável que o velho preferisse os bonecos e admirava o avô por ficar dia e noite às voltas com seus maquinismos, talvez nem mesmo dormisse para poder se dedicar àquela tarefa, por isso era tão cinzento. O avô era a pessoa que mais se aproximava da idéia de um feiticeiro de carne e osso e o assombrava e atraía, como podia ter esquecido das circunstâncias da sua morte? Morrera de repente? Fora assassinado pela avó? Fora enterrado? Cremado? Ou simplesmente desaparecera?

Augusto olha para o último andar do prédio onde morou seu avô, e um monte de basbaques se junta em torno dele e olha também para o alto, macumbeiros, compradores de retalhos de tecidos, vadios, estafetas, mendigos, camelôs, transeuntes em geral, alguns perguntando "o que foi", "ele já pulou?", ultimamente muita gente no centro da cidade pula das janelas dos altos escritórios e se esborracha na calçada.

Augusto, depois de pensar no avô, continua em direção ao seu objetivo nesse dia, mas não em linha reta, em linha reta ele deveria ir à praça Tiradentes e seguir pela Constituição, que desemboca quase em frente ao grande portão do lugar aonde ele vai, ou então pela Visconde do Rio Branco, que ele costuma escolher devido ao quartel do Corpo de Bombeiros. Mas ele não tem pressa em chegar aonde quer, e da rua do Teatro vai à Luiz de Camões para dar uma entrada rápida no Real Gabinete Português de Leitura, ele faz questão que aquela biblioteca tenha seu livro, quando estiver pronto e publicado. Sente a presença aconchegante daquela enorme quantidade de livros. Em seguida vai até a avenida Passos, não confundir com a rua Senhor dos Passos, chega ao beco do Tesouro e volta na direção da Visconde do Rio Branco pela Gonçalves Ledo, no meio dos comerciantes judeus e árabes esbarrando na sua freguesia mal vestida, e ao chegar à Visconde do Rio Branco deixa o comércio de roupas pelo de objetos usados, mas o que o interessa na Visconde do Rio Branco é o quartel-general do Corpo de Bombeiros, não que aquele fosse o seu destino, mas ele gosta de ver o prédio do Corpo de Bombeiros. Augusto pára em frente, o pátio lá dentro está cheio de carros grandes vermelhos, o sentinela na porta vigia-o desconfiado, seria bom se um daqueles carros vermelhos enormes com a escada Magirus saísse com sua sirene aberta. Mas os carrões vermelhos não saem e Augusto caminha mais um pouco até a Vinte de Abril e chega ao portão do Campo de Santana, em frente ao largo do Caco e ao Hospital Souza Aguiar.

O Campo de Santana tem nas cercanias lugares que Augusto costuma visitar, o prédio da casa onde o governo antigamente fabricava dinheiro, o arquivo, a nova biblioteca, a velha faculdade, o antigo quartel-general do Exército, a estrada de ferro. Mas neste dia ele quer ver apenas as árvores e entra por um dos portões, passa pelo maneta que, sentado num tamborete atrás de um tabuleiro, vende cigarros por unidade, o maço aberto ao meio por um golpe de navalha, que o maneta esconde na meia presa por um elástico. Augusto, logo que entra, vai até o lago, ali perto estão as esculturas dos franceses. O campo tem uma velha história, dom Pedro foi aclamado imperador no Campo de Santana, tropas amotinadas ali acamparam enquanto aguardavam ordens de atacar, mas Augusto pensa apenas nas árvores, as mesmas daquele tempo longínquo, e passeia por entre os baobás, as figueiras, as jaqueiras ostentando enormes frutos; como sempre, tem vontade de se ajoelhar ante as árvores mais antigas, mas ficar de joelhos lembra a religião católica e ele agora odeia todas as religiões que fazem as pessoas ficarem de joelhos, e também odeia Jesus Cristo, de tanto ouvir os padres, os pastores, os eclesiásticos, os negociantes falarem nele; o movimento da Igreja ecumênica é a cartelização dos negócios da superstição, um pacto político de não-agressão entre mafiosos: não vamos brigar uns com os outros que o bolo dá para todos.

Augusto está sentado num banco, ao lado de um homem que usa um relógio digital japonês num dos pulsos e uma pulseira terapêutica de metal no outro. Aos pés do homem está deitado um cão grande, a quem o homem dirige suas palavras, com gestos comedidos, parecendo um professor de filosofia a dialogar com seus alunos numa sala de aula, ou um tutor dando explicações a um discípulo desatento, pois o cachorro não parece prestar muita atenção ao que o homem lhe diz e apenas rosna, olhando em torno com a língua pra fora. Se fosse maluco o homem não usaria relógio, mas um sujeito que ouve respostas de um cão que rosna com a língua de fora, e a elas retruca, tem que ser maluco, mas um maluco não usa relógio, a primeira coisa que ele, Augusto, faria se ficasse maluco seria livrar-se do Casio Melody; e tem certeza de que ainda não está maluco porque, além do relógio que carrega no pulso, tem ainda no bolso uma caneta-tinteiro, e os malucos detestam caneta-tinteiro. Esse homem, sentado ao lado de Augusto, magro, cabelos penteados, a barba raspada, mas com fios pontudos aparecendo agrupados abaixo da orelha e outros saindo do nariz, de sandálias, calça jeans maiores que suas pernas, com as bainhas dobradas de tamanho diferente, esse maluco é talvez apenas meio maluco porque parece ter descoberto que um cachorro pode ser um bom psicanalista, além de mais barato e mais bonito. O cachorro é alto, de mandíbulas fortes, peito musculoso, olhar melancólico. É evidente que, além do cachorro — as conversas são, cumulativamente, sinal de loucura e de inteligência —, a sanidade, ou o ecletismo mental do homem, pode também ser comprovada pelo relógio.

"Que horas são?", pergunta Augusto.

"Veja no seu relógio", diz o homem do cachorro, os dois, homem e cachorro, observando Augusto, curiosos.

"Meu relógio não tem funcionado muito bem", alega Augusto.

"Dez horas trinta e cinco minutos e dois, três, quatro, cinco —"

"Obrigado."

"— segundos", termina o homem, consultando o Seiko no pulso.

"Tenho que ir", diz Augusto.

"Não vá ainda", diz o cachorro. Não foi o cachorro, o homem é um ventríloquo, quer fazer-me fazer de bobo, pensa Augusto, é melhor que o homem seja um ventríloquo, cães não falam e se esse fala, ou se ele ouviu o cão falar, isso pode se tornar um motivo de preocupação, como por exemplo ver um disco voador, e Augusto não quer perder tempo com assuntos dessa natureza.

Augusto passa a mão na cabeça do cachorro. "Tenho que ir."

Não tem que ir a lugar algum. Seu plano naquele dia é ficar entre as árvores até a hora de fechar e quando o guarda começar a apitar ele se esconderá na gruta; irrita-o só poder ficar com as árvores das sete da manhã às seis da tarde. O que os guardas temem que se faça durante a noite no Campo de Santana? Algum banquete noturno de cutias, ou a utilização da gruta como bordel, ou o corte das árvores para fazer lenha ou outra coisa? Talvez os guardas tenham razão, e marginais famintos andem comendo cutias e fodendo no meio dos morcegos e dos ratos da gruta, e cortando árvores para fazer barracos.

Quando ouve o bip do seu Casio Melody alertando-o, Augusto entra até o ponto mais fundo da gruta, onde fica imóvel como uma pedra, ou melhor, uma árvore subterrânea. A gruta é artificial, foi feita por outro francês, mas há tanto tempo que parece verdadeira. Um apito forte ecoa nas paredes de pedra fazendo os morcegos baterem as asas e guincharem, os guardas estão mandando as pessoas se retirarem, mas nenhum guarda entra na gruta. Ele continua imóvel no escuro total e agora que os morcegos se aquietaram ouve o barulhinho delicado dos ratos já acostumados com sua presença inofensiva. O relógio toca uma musiquinha rápida, o que significa que transcorreu uma hora. Lá fora certamente já é noite e os guardas devem ter ido embora, assistir à televisão, comer, alguns são capazes até de ter família.

Sai da gruta junto com os morcegos e os ratos. Desliga os sons do seu Casio Melody. Nunca ficou uma noite inteira dentro do Campo de Santana, já rodeou o campo à noite, namorando as árvores através das grades hoje pintadas de cinza e douradas nas pontas. Na escuridão as árvores são ainda mais perturbadoras do que na claridade e deixam que Augusto, ao caminhar lentamente sob suas sombras noturnas, comungue com elas como se fosse um morcego. Abraça e beija as árvores, o que tem vergonha de fazer à luz do dia na frente dos outros; algumas são tão grandes que ele não consegue juntar os dedos das mãos atrás delas. Entre as árvores Augusto não sente irritação, nem fome, nem dor de cabeça. Imóveis, enfiadas na terra, vivendo em silêncio, indulgentes com o vento e os passarinhos, indiferentes aos próprios inimigos, ali estão elas, as árvores, em volta de Augusto, e enchem sua cabeça de um gás perfumado e invisível que ele sente, e que transmite tal leveza ao seu corpo que se ele tivesse a pretensão, e a vontade arrogante, poderia até mesmo tentar voar.

Quando o dia surge Augusto aperta um dos pinos do relógio recolocando o desenho de um sininho no mostrador. Ouve um bip. Escondido atrás de uma árvore vê guardas abrindo um dos portões. Olha mais uma vez com amor as árvores, passa a mão no tronco de algumas, se despedindo.

Na saída já lá está o maneta vendendo um ou dois cigarros para os sujeitos que não têm dinheiro para comprar um maço inteiro.

Desce pela Presidente Vargas maldizendo os urbanistas que demoraram dezenas de anos para perceber que uma rua larga daquelas precisava de sombra e só em anos recentes plantaram árvores, a mesma insensatez que os fizera plantar palmeiras-imperiais no canal do Mangue quando o canal fora construído, como se palmeira fosse uma árvore digna do nome, um tronco comprido que não dá sombra nem passarinho, que mais parece uma coluna de cimento. Vai pela rua dos Andradas até a rua do Teatro e posta-se mais uma vez em frente à casa do avô. Tem a esperança de que um dia ele vá aparecer na porta do prédio, limpando o nariz distraidamente.

Quando entra no sobrado da rua Sete de Setembro encontra Kelly andando de um lado para o outro sob a clarabóia.

"Procurei café e não achei. Você não tem café?"

"Por que você não vai embora e volta de noite, para a lição?"

"Apareceu um rato e eu joguei um livro nele mas não consegui acertar."

"Por que você fez isso?"

"Pra matar o rato."

"A gente começa matando um rato, depois mata um ladrão, depois um judeu, depois uma criança da vizinhança com a cabeça grande, depois uma criança da nossa família com a cabeça grande."

"Um rato? Qual o mal em matar um rato?"

"E uma criança com a cabeça grande?"

"O mundo está cheio de pessoas nojentas. E quanto mais gente, mais pessoas nojentas. Como se fosse um mundo de cobras. Vai me dizer que as cobras não são nojentas?", diz Kelly.

"As cobras não são nojentas. Por que você não vai para sua casa e volta à noite para a lição?"

"Deixa eu morar aqui até aprender a ler."

"Só quinze dias."

"Está bem. Você me ajuda a ir em casa apanhar minha roupa?"

"É tanta roupa assim?"

"Sabe o que é? Estou com medo do Rezende. Ele disse que corta meu rosto com uma navalha. Deixei de trabalhar pra ele."

"Quem é esse Rezende?"

"É o rapaz que... É o meu protetor. Ele vai me arranjar dinheiro para eu botar um dente e trabalhar na Zona Sul."

"Pensei que não existisse mais cafetão."

"Uma moça não pode viver sozinha."

"Onde é sua casa?"

"Gomes Freire quase esquina da Mem de Sá. Sabe onde tem um supermercado?"

"Você me mostra."

Vão pela Evaristo da Veiga, passam por baixo dos Arcos, entram na Mem de Sá e logo estão no prédio onde Kelly mora com o Rezende.

Kelly tenta abrir a porta do apartamento mas ela está trancada por dentro. Toca a campainha.

Um sujeito de camisa de meia verde abre a porta dizendo "onde foi que você se meteu, sua puta?", mas ao ver Augusto recua, faz um gesto com a mão e diz gentilmente "tenha a bondade de entrar".

"Esse é o Rezende?", pergunta Augusto.

"Vim apanhar minha roupa", diz Kelly com timidez.

"Vai apanhar a roupa enquanto eu converso com o Rezende", diz Augusto.

Kelly entra.

"Eu conheço você?", pergunta Rezende, indeciso.

"O que você acha?", diz Augusto.

"Tenho uma memória muito ruim", diz Rezende.

"Isso é perigoso", diz Augusto.

Os dois ficam calados. Rezende tira do bolso um maço de Continental e oferece um cigarro para Augusto. Augusto diz que não fuma. Rezende acende o cigarro, vê a orelha mutilada de Augusto, apressado desvia o olhar para dentro do apartamento.

Kelly sai com a mala.

"Você tem uma navalha afiada?", pergunta Augusto.

"Pra que eu preciso uma navalha afiada?", diz Rezende, rindo como um idiota, evitando encarar o resto de orelha de Augusto.

Augusto e Kelly esperam o elevador chegar, enquanto Rezende fuma encostado na porta do apartamento, olhando para o chão.

Estão na rua. Kelly, ao ver o bicheiro na esquina sentado em sua carteira de estudante, diz que vai fazer uma fezinha. "Jogo no carneiro ou no veado?", pergunta rindo. "Ele não fez nada porque você estava comigo, botou o galho dentro porque ficou com medo de você."

"Pensei que vocês estavam organizadas e não havia mais cafetão", diz Augusto.

"Minha amiga Cleuza me chamou para a Associação, mas... Quinhentos no veado", diz ela para o bicheiro.

"Associação das putas?"

"Associação das Prostitutas. Mas aí eu descobri que tem três associações de prostitutas e eu não sei para qual delas entrar. Meu amigo Boca Murcha me disse que organizar marginal é a coisa mais complicada do mundo, até mesmo bandido que vive junto dentro da cadeia tem esse problema."

Fazem o mesmo caminho de volta, passando novamente embaixo dos Arcos, sobre os quais um bonde trafega nesse momento.

"Coitado, eu era a única coisa que ele tinha no mundo", diz Kelly. Já está com pena do cafifa. "Vai ter que voltar a vender pó e maconha na zona."

Na rua da Carioca, Kelly repete que na casa de Augusto não tem café e ela quer tomar café.

"Vamos tomar café na rua", ele diz.

Param numa casa de sucos. Não tem café. Kelly quer tomar uma média com pão e manteiga. "Sei que é difícil achar um lugar que venda média com pão e manteiga, ainda mais o pão torrado", diz Kelly.

"Antigamente havia botequins espalhados pela cidade, onde você sentava e pedia: seu garçom faça o favor de me trazer depressa uma boa média que não seja requentada, um pão bem quente com manteiga à beça — você não conhece a música do Noel?"

"Noel? Não é do meu tempo. Desculpe", diz Kelly.

"Eu apenas queria dizer que havia uma infinidade de botequins espalhados pelo centro da cidade. E você sentava num botequim, não ficava em pé, como nós aqui, e havia uma mesa de mármore onde você podia fazer desenhos enquanto esperava alguém e quando a pessoa chegava você podia ficar olhando para a cara dela enquanto conversava."

"Nós não estamos conversando? Você não está me olhando? Faz o desenho neste guardanapo de papel."

"Estou te olhando. Mas tenho que virar o pescoço. Não estamos sentados numa cadeira. Esse guardanapo de papel borra quando você escreve nele. Você não entende."

Comem um hambúrguer com suco de laranja.

"Eu vou te levar para ver a avenida Rio Branco."

"Eu conheço a avenida Rio Branco."

"Vou te mostrar os três prédios que não foram demolidos. Eu te mostrei a foto da avenida antigamente?"

"Não me interessa velharia. Pára com isso."

Kelly se recusa a ir ver os prédios velhos, mas, como gosta de crianças, concorda em ir visitar a menina Marcela, de oito meses, filha de Marcelo e Ana Paula.

Estão na Sete de Setembro e caminham até a esquina da rua do Carmo, onde, na calçada sob a marquise, em casinholas de papelão, mora a família Gonçalves. Ana Paula é branca, assim como Marcelo é branco, e são apenas agregados da família de negros que controla aquela esquina. Ana Paula está dando de mamar a Marcelinha. Como é sábado, Ana Paula pôde armar de dia o pequeno barraco de papelão em que vive com o marido e a filha sob a marquise do Banco Mercantil do Brasil. A tábua que serve de parede, de um metro e meio de altura, o lado mais alto do barraco, foi tirada de uma construção abandonada do metrô. Nos dias úteis o barraco fica desarmado, as grandes folhas de papelão e a tábua tirada do buraco do metrô são encostadas na parede durante a hora do expediente, e somente à noite o barraco de Marcelo, e também os barracos de papelão da família Gonçalves são reconstruídos para que Marcelo, Ana Paula e Marcelinha e os doze membros da família entrem neles para dormir. Mas hoje é sábado, no sábado e no domingo não há expediente no Banco Mercantil do Brasil, e o barraco de Marcelo e Ana Paula, uma caixa de papelão usada como embalagem de uma geladeira grande, não foi desarmado, e Ana Paula goza desse conforto.

São dez horas da manhã e o sol lança raios luminosos por entre o monolítico arranha-céu negro opaco da Cândido Mendes e o torreão da igreja com a imagem de Nossa Senhora do Carmo, ela em pé, como costumam ficar as Nossas Senhoras, um círculo de ferro, ou cobre, sobre a cabeça fingindo de auréola. Ana Paula dá banho de sol na menina nua, já mudou as fraldas, lavou as sujas num balde de água que apanhou no restaurante de galetos, dependurou-as no varal de arame que estende somente nos fins de semana, amarrando uma ponta na estaca de ferro com uma placa de metal onde se lê *TurisRio — 9 vagas* e outra numa estaca de ferro com uma placa de publicidade; além das fraldas, Augusto vê bermudas, camisetas, calças jeans e peças de roupa que não consegue identificar, por delicadeza, para não demonstrar curiosidade.

Kelly permanece na esquina, não quer chegar perto do pequeno barraco onde Ana Paula cuida de Marcelinha. Ana Paula tem olhos doces, tem um rosto magro e sossegado, tem gestos delicados, tem braços delgados, tem uma boca muito bonita, apesar dos dentes cariados na frente.

"Kelly, vem ver que menina bonita é a Marcelinha", diz Augusto.

Neste instante surge, do fundo de uma das caixas de papelão, Benevides, o chefe do clã, um preto que está sempre embriagado, e logo aparecem os adolescentes Zé Ricardo e Alexandre, este o mais simpático de todos, e também dona Tina, a matriarca, acompanhada de uns oito meninos. Antes eram doze os menores da família, mas quatro haviam se desgarrado e ninguém sabia por onde eles andavam; constava que faziam parte de um arrastão, de uma das quadrilhas de pivetes que agiam na zona sul da cidade, assaltando em grandes bandos as lojas elegantes, pessoas bem vestidas, turistas; e, aos domingos, os otários que estão se bronzeando na praia.

Um dos meninos pede uma esmola a Augusto e leva por esse motivo um bofetão de Benevides.

"Nós não somos mendigos, moleque."

"Não era esmola", diz Augusto.

"Outro dia veio aqui um sujeito dizendo que estava organizando os mendigos, numa associação chamada Mendigos Unidos. Mandei ele tomar dentro. Nós não somos mendigos."

"Quem é esse cara? Onde ele faz ponto?"

"Na rua do Jogo da Bola."

"Como é que se vai nessa rua?"

"Daqui? Você vai até a igreja da Candelária, em linha reta, chegando lá você pega a Rio Branco, dali vai até a rua Visconde de Inhaúma, entra nela pro lado esquerdo, vai até o largo de Santa Rita onde ela termina e começa a Marechal Floriano, a rua Larga, e pela rua Larga você vai até a rua dos Andradas, pelo lado direito, cruza a rua Leandro Martins, entra na rua Júlia Lopes de Almeida, vai para a esquerda, pra rua da Conceição, segue até chegar na Senador Pompeu, entra pela direita numa travessa Coronel não sei o quê, e sempre pela direita chega na rua do Jogo da Bola. Pergunta por ele, o nome dele é Zé Galinha. Um nego de olho vermelho, sempre cercado de puxa-sacos. Vai acabar vereador."

"Obrigado, Benevides. Como vão os negócios?"

"Tiramos vinte toneladas de papel este mês", diz Alexandre.

"Cala a boca", diz Benevides.

Um caminhão passa periodicamente e leva o papel que foi apanhado. Hoje, passou cedo e levou tudo.

Dona Tina diz qualquer coisa que Augusto não entende.

"Porra, mamãe, cala a boca, porra", grita Benevides, furioso.

A mãe se afasta e vai colocar umas panelas sobre um fogão desmontável de tijolos, na porta do Banco Mercantil. Ricardo penteia os cabelos espessos com um pente de longos dentes de ferro.

"Quem é aquela bacana?", Benevides aponta Kelly, a distância, na esquina. Kelly parece uma princesa de Mônaco, no meio dos Gonçalves.

"Uma amiga minha."

"Por que ela não chega perto?"

"Deve estar com medo de você, dos seus gritos."

"Tenho que gritar. Sou o único aqui que tem cabeça... Às vezes desconfio até do senhor..."

"Isso é besteira."

"No princípio pensei que o senhor era da polícia. Depois, da Leão XIII, depois, alguém do banco, mas o gerente é gente fina e sabe que somos trabalhadores e não ia mandar nenhum espião dedurar a gente. Estamos neste ponto há dois anos e eu pretendo morrer aqui, o que talvez não demore muito, pois ando com uma dor neste lado da barriga... Sabe que nunca teve assalto neste banco? O único em toda a área."

"A presença de vocês afasta os assaltantes."

"Desconfio do senhor."

"Não gaste tempo com isso."

"O que o senhor quer aqui? Sábado passado não quis tomar sopa comigo."

"Eu lhe disse. Quero conversar. E você só precisa me dizer o que quiser dizer. E eu só gosto de sopas de cor verde, e as suas sopas são amarelas."

"É a abóbora", diz dona Tina, que ouve a conversa.

"Cala a boca, mamãe. Presta atenção, bacana, a cidade não é mais a mesma, tem gente demais, tem mendigo demais na cidade, apanhando papel, disputando o ponto com a gente, um montão vivendo debaixo de marquise, estamos sempre expulsando vagabundo de fora, tem até falso mendigo disputando o nosso papel com a gente. Todo o papel jogado fora na Cândido Mendes aí em frente é meu, mas já tem nego querendo meter a mão."

Benevides diz que o homem do caminhão paga melhor o papel branco do que o papel de jornal ou o rebotalho, o papel sujo, colorido, em pedaços. O papel que ele arrecada na Cândido Mendes é branco. "Tem muito formulário contínuo de computador, relatórios, coisas assim."

"E vidro? Também pode ser reciclado. Já pensou em vender garrafas?"

"Garrafeiro tem que ser portuga. Nós somos crioulos. E as garrafas estão acabando, é tudo de plástico. O único garrafeiro que anda por aqui é o Mané da Boina, e o galego outro dia veio filar a sopa aqui com a gente. Ele come sopa amarela. Está na pior merda."

Kelly abre os braços, faz uma careta impaciente, na esquina, do outro lado. Augusto se despede abraçando uns e outros. Benevides aperta Augusto de encontro ao seu torso nu, aproximando sua boca de hálito alcoólico do rosto do outro, e o olha assim de perto, curioso, astuto. "Estão dizendo que vai ter aqui na cidade um grande congresso de estrangeiros e que vão querer esconder a gente dos gringos. Não quero sair daqui", murmura ameaçadoramente, "moro ao lado de um banco, tem segurança, nenhum maluco vai tocar fogo na gente como fizeram com o barraco do Maílson, atrás do museu do aterro. E eu estou aqui há dois anos, o que significa que ninguém vai mexer com a nossa casa, faz parte do ambiente, entendeu?" Augusto, que nasceu e foi criado no centro da cidade, ainda que numa época mais luminosa, em que as lojas ostentavam na fachada seus nomes em letras feitas de brilhantes tubos retorcidos de vidro cheios de gases vermelhos, azuis e verdes, entende bem o que Benevides lhe diz em seu infindável abraço, ele também não sairia do centro por nada, e aquiesce com a cabeça, roçando involuntariamente seu rosto no rosto do negro. Quando afinal se separam, Augusto consegue dar, sem que Benevides perceba, uma nota de cem para um crioulinho mais esperto. Vai até Ana Paula e se despede dela, de Marcelo e de Marcelinha, que agora está vestida com um macacão de florzinhas.

"Vamos", diz Augusto segurando Kelly pelo braço. Kelly solta o braço. "Não me pega não, aqueles mendigos devem estar com sarna, você vai ter que tomar um banho antes de se encostar em mim."

Andam até o sebo de livros que fica atrás da igreja do Carmo, enquanto Kelly desenvolve a teoria de que os mendigos, nos lugares quentes como o Rio, onde andam seminus, são ainda mais miseráveis; um mendigo sem camisa, com uma calça velha, suja, rasgada, mostrando um pedaço de bunda, é mais mendigo que um mendigo num lugar frio vestido com andrajos. Ela viu mendigos paulistas quando foi a São Paulo num inverno e eles usavam casacos e gorros de lã, tinham um ar decente. "Nos lugares frios os mendigos morrem gelados nas ruas", diz Augusto.

"É uma pena que o calor não mate eles também", diz Kelly.

. . As putas não gostam de mendigos, Augusto sabe.

"A diferença entre um mendigo e os outros", continua Kelly, "é que quando fica nu um mendigo não deixa de parecer um mendigo e quando os outros ficam nus eles deixam de parecer o que são."

Chegam ao sebo. Kelly olha da rua, desconfiada, as estantes no interior da loja cheias de livros. "Existe gente no mundo para ler tantos livros?"

Augusto quer comprar um livro para Kelly, mas ela se recusa a entrar no sebo. Vão até a rua São José, dali à rua Graça Aranha, avenida Beira Mar, Obelisco, Passeio Público.

"Fiz a vida aqui em frente e nunca entrei neste lugar", diz Kelly.

Augusto mostra as árvores para Kelly, diz que elas têm mais de duzentos anos, fala no mestre Valentim, mas ela não se interessa e somente sai do seu tédio quando Augusto de cima da pontezinha sobre o lago, do lado oposto à entrada na rua do Passeio, no outro extremo, onde fica o terraço com a estátua do menino que atualmente é de bronze, quando de cima da pontezinha Augusto escarra nas águas para os peixes pequenos comerem o catarro. Kelly acha graça e cospe também, mas logo se aborrece porque os peixes parecem preferir o cuspe de Augusto.

"Estou com fome", diz Kelly.

"Prometi almoçar com o Velho", diz Augusto.

"Então vamos pegar ele."

Seguem pela Senador Dantas, onde Kelly também fez a vida e chegam ao largo da Carioca. Os tabuleiros dos camelôs ali são em maior número. As principais ruas de comércio estão atravancadas de tabuleiros repletos de mercadorias, algumas são contrabandeadas e outras pseudocontrabandeadas, marcas famosas falsificadas grosseiramente em fabriquetas clandestinas. Kelly pára em frente aos tabuleiros, examina tudo, pergunta o preço dos rádios de pilha, dos brinquedos elétricos, das calculadoras de bolso, dos cosméticos, de um jogo de dominó de plástico imitando marfim, dos lápis coloridos, das canetas, das fitas de vídeo e cassetes virgens, do coador de café de pano, dos canivetes, dos baralhos, dos pentes, dos relógios e das outras bugigangas.

"Vamos, o Velho está esperando", diz Augusto.

"Bagulho ordinário", diz Kelly.

No sobrado, Kelly convence o Velho a pentear o cabelo e a trocar o chinelo por uma botina preta, inteiriça, de cano alto com elástico dos lados e puxador atrás, modelo antigo mas ainda em bom estado. O Velho vai sair com eles porque Augusto prometeu que vão almoçar no Timpanas, na rua São José, e o Velho namorou uma moça inesquecível que morava num prédio ao lado do restaurante, construído em mil novecentos e poucos, e que ainda tem, intactos, balcões de ferro, tímpanos e cimalhas decoradas com estuque.

O Velho vai à frente com passo firme.

"Não quero andar muito depressa. Disseram que dá varizes", protesta Kelly, que na verdade quer andar devagar para pesquisar os tabuleiros dos camelôs.

Ao chegarem em frente ao Timpanas, o Velho contempla os prédios antigos enfileirados até a esquina da rua Rodrigo Silva. "Vai ser tudo demolido", ele diz. "Vocês podem entrar, vou em seguida, peçam um arroz de ervilhas para mim."

Kelly e Augusto sentam-se numa mesa coberta por toalha branca. Pedem uma caldeirada para dois e o arroz de ervilhas do Velho. O Timpanas é um restaurante que faz a comida como o freguês pede.

"Por que você não me abraça como fez com aquele negro sujo?", diz Kelly.

Augusto não quer discutir. Levanta-se e vai procurar o Velho.

O Velho está olhando os prédios, muito compenetrado, encostado na grade de ferro que cerca o antigo Buraco do Lume, que depois de tapado virou um gramado com poucas árvores, onde moram alguns mendigos.

"Teu arroz já chegou", diz Augusto.

"Está vendo aquela sacada ali, daquele sobrado pintado de azul? As três janelas do primeiro andar? Foi naquela janela à nossa direita que eu a vi, pela primeira vez, debruçada no balcão, os cotovelos apoiados numa almofadinha com bordados vermelhos."

"O arroz já está na mesa. Ele tem que ser comido logo que sai do fogo."

Augusto puxa o Velho pelo braço e entram no restaurante.

"Ela era muito bonita. Nunca mais vi uma moça tão bonita."

"Come o arroz, vai ficar frio", diz Augusto.

"Ela mancava de uma perna. Isso para mim não tinha importância. Mas para ela era importante."

"É sempre assim", diz Kelly.

"Você tem razão", diz o Velho.

"Come o arroz, vai ficar frio."

"As mulheres de vida airada são detentoras de uma sinuosa sabedoria. Você me deu um momentâneo conforto ao mencionar a inexorabilidade das coisas", diz o Velho.

"Obrigada", diz Kelly.

"Come o arroz, vai ficar frio."

"Vai ser tudo derrubado", diz o Velho.

"Antigamente era melhor?", pergunta Augusto.

"Era."

"Por quê?"

"Antigamente tinha menos gente e quase não havia automóveis."

"Os cavalos, enchendo as ruas de bosta, deviam ser considerados uma praga igual aos carros de hoje", diz Augusto.

"E as pessoas, antigamente, eram menos estúpidas", continua o Velho, com um olhar triste, "e tinham menos pressa."

"O pessoal da antiga era mais inocente", diz Kelly.

"Era mais esperançoso. A esperança é uma espécie de libertação", diz o Velho.

Enquanto isso, Raimundo, o pastor, chamado pelo bispo para comparecer à sede mundial da Igreja de Jesus Salvador das

Almas, que fica na avenida Suburbana, ouve, contrito, as palavras do chefe supremo da sua Igreja.

"Cada pastor é responsável pelo templo em que trabalha. A sua arrecadação tem sido muito pequena. Sabe quanto o pastor Marcos, de Nova Iguaçu, arrecadou no mês passado? Mais de dez mil dólares. Nossa Igreja precisa de dinheiro. Jesus precisa de dinheiro, sempre precisou. Você sabia que Jesus tinha um tesoureiro, Judas Iscariotes?"

O pastor Marcos, de Nova Iguaçu, foi o inventor do Envelope de Doações. Os envelopes têm impresso o nome da Igreja de Jesus Salvador das Almas, a frase *Peço orações por estas pessoas* seguida de cinco linhas para o pedinte escrever os nomes das pessoas, um quadrado onde se lê Cr$ e, em letras grandes, a categoria das doações. Os votos ESPECIAIS, com quantias maiores, são verde-claro; os SIMPLES são pardos, e neles só podem ser solicitadas duas orações. Outras igrejas copiaram o Envelope, o que deixou o bispo muito aborrecido.

"O demônio tem ido à minha igreja", diz Raimundo, "e desde que ele passou a ir à minha igreja os fiéis não fazem doações, nem mesmo pagam mais o dízimo."

"Lúcifer?" O bispo olha para ele, um olhar que Raimundo gostaria que fosse de admiração; provavelmente o bispo nunca viu o demônio, pessoalmente. Mas o bispo é insondável. "Qual o disfarce que ele está usando?"

"Usa óculos escuros, não tem uma orelha e senta-se nos bancos dos fundos, e um dia, no segundo dia em que apareceu no templo, em volta dele se fez uma aura amarela." O bispo deve saber que o diabo pode aparecer como bem entender, como um cão negro ou como um homem de óculos escuros sem uma orelha.

"Alguém mais viu essa luz amarela?"

"Não senhor."

"Algum cheiro especial?"

"Não senhor."

O bispo medita algum tempo.

"E depois que ele apareceu os fiéis deixaram de pagar o dízimo? Você tem certeza que foi esse —"

"Sim, foi depois que ele apareceu. Os fiéis dizem que não

têm dinheiro, que perderam o emprego, que ficaram doentes, que foram roubados."

"E você acredita que estão falando a verdade. E jóias? Nenhum deles tem uma jóia? Uma aliança de ouro?"

"Sim, estão falando a verdade. Nós podemos pedir jóias?"

"Por que não? São para Jesus."

O rosto do bispo é inescrutável.

"O demônio não tem aparecido. Eu estou procurando ele. Não tenho medo, ele anda pela cidade e eu vou encontrá-lo", diz Raimundo.

"E quando você o encontrar, o que pretende fazer?"

"Se o senhor bispo pudesse me iluminar com seu conselho..."

"Você mesmo tem que descobrir, nos livros sagrados, o que deve fazer. Silvestre II fez um pacto com o diabo, para conseguir o Papado e a Sabedoria. O demônio sempre que aparece é para fazer um pacto. Lúcifer apareceu para você, não para mim. Mas lembre-se, se o demônio for mais esperto do que você, isso significa que você não é um bom pastor."

"Todo bem vem de Deus e todo o mal vem do Diabo", diz Raimundo.

"Sim, sim", diz o bispo com um suspiro enfastiado.

"Mas o bem pode vencer o mal."

"Sim", outro suspiro.


O almoço no Timpanas continua. O Velho fala do Cinema Ideal, na rua da Carioca.

"De um lado da rua ficava o Ideal, do outro o Cinema Iris. O Iris ainda está de pé. Agora passa filmes pornográficos."

"Talvez vire uma igreja", diz Augusto.

"Durante as sessões noturnas o teto do Ideal abria e deixava entrar o frescor da noite. Você podia ver as estrelas no céu", diz o Velho.

"Só um maluco vai ao cinema para ver estrelas", diz Kelly.

"Como é que o teto abria?", pergunta Augusto.

"Um sistema de engenharia muito avançado para a época. Roldanas, roldanas... O Rui Barbosa ia sempre lá e algumas vezes sentei perto dele."

"Sentou perto dele?"

O Velho percebe alguma incredulidade na voz de Augusto. "Você está pensando o quê? Rui Barbosa morreu outro dia, em 1923."

"Minha mãe nasceu em 1950", diz Kelly, "é uma velha caindo aos pedaços."

"Durante muito tempo, depois que o Rui morreu, e até que o cinema virasse uma sapataria, a cadeira dele ficou isolada por um cordão de veludo e havia uma placa dizendo *Esta cadeira era ocupada pelo senador Rui Barbosa*. Votei nele para presidente, duas vezes, mas os brasileiros sempre elegem os presidentes errados."

"O cinema virou uma sapataria?"

"Se o Rui estivesse vivo não deixaria fazerem isso. As duas fachadas, uma de pedra e outra de mármore, e a marquise de vidro, um vidro igual ao da minha clarabóia, ainda estão lá, mas dentro só existem pilhas de sapatos ordinários; é de cortar o coração", diz o Velho.

"Vamos lá ver?", propõe Augusto para Kelly.

"Não vou mais a lugar nenhum com você pra ver chafariz, prédios caindo aos pedaços e árvores nojentas enquanto você não parar pra ouvir a história da minha vida. Ele não quer ouvir a história da minha vida. Mas ouve a história da vida de todo mundo."

"Por que você não quer ouvir a história da vida dela?", pergunta o Velho.

"Porque já ouvi vinte e sete histórias de vida de putas e são todas iguais."

"Não é assim que se trata uma namorada", diz o Velho.

"Ela não é minha namorada. É alguém a quem estou ensinando a ler e a falar."

"Se ela puser um dente aí na frente é capaz de ficar bonita", diz o Velho.

"Pra que botar um dente? Não vou mais ser puta. Deixei."

"Vai fazer o quê?"

"Ainda estou pensando."

Na segunda-feira, arrependido por ter tratado Kelly mal, ainda mais tendo em vista que ela está aprendendo a ler com grande rapidez, Augusto sai de casa para ir à praça Tiradentes comprar uma pedra semipreciosa em estado bruto, para lhe dar de presente. Tem um amigo, de nome falso Mojica, que compra e vende essas pedras, que mora no Hotel Rio, na rua Silva Jardim e pode lhe fazer um preço barato. Mojica, antes de se estabelecer como vendedor de pedras, ganhava a vida como apanhador de mulher gorda, uma especialização de gigolôs preguiçosos.

Na rua Uruguaiana, centenas de camelôs, proibidos pela Prefeitura de instalar suas barracas e ajudados por jovens desempregados e outros passantes, depredam e saqueiam as lojas. Alguns seguranças contratados pelas lojas atiram para o ar. O barulho das vitrines quebradas e das portas de aço sendo arrombadas mistura-se com os gritos de mulheres a correr pela rua. Augusto entra na Ramalho Ortigão e segue pela rua da Carioca em direção à praça Tiradentes. O tempo está encoberto e ameaça chover. Está quase chegando na Silva Jardim quando o pastor Raimundo surge inesperadamente à sua frente.

"O senhor sumiu", diz o pastor Raimundo com voz trêmula.

"Tenho andado ocupado. Escrevendo um livro", diz Augusto.

"Escrevendo um livro... O senhor está escrevendo um livro... Posso saber o assunto?"

"Não. Desculpe", diz Augusto.

"Eu não sei o seu nome. Posso saber o seu nome?"

"Augusto. Epifânio."

Neste momento começa a trovejar e a cair uma chuva grossa.

"O que o senhor quer de mim? Um pacto?"

"Entrei no seu cinema por acaso, por causa das cápsulas com selênio."

"Cápsulas com selênio", diz o pastor, empalidecendo ainda mais. Não era selênio um dos elementos usados pelo demônio? Ele não consegue se lembrar.

"Adeus", diz Augusto. Ficar na chuva não o incomoda, mas o ex-apanhador de mulher gorda espera por ele.

O pastor segura Augusto pelo braço, num arroubo de coragem. "É um pacto? É um pacto?" Cambaleia como se fosse desmaiar, abre os braços, e só não cai ao chão porque Augusto o ampara. Recobrando seu vigor, o pastor livra-se dos braços de Augusto, grita "solte-me, solte-me, isto é demais".

Augusto desaparece, entrando no Hotel Rio. Raimundo treme convulsivamente e cai, desmaiado. Fica estendido algum tempo com a cara na sarjeta, molhado pela forte chuva, uma espuma branca escorrendo do canto da boca, sem despertar a atenção das almas caridosas, da polícia ou dos transeuntes em geral. Afinal a água da sarjeta escorrendo sobre seu rosto o faz voltar a si; Raimundo consegue forças para levantar-se e caminhar tropegamente à procura do demônio; transpõe a praça, cruza a rua Visconde do Rio Branco, avança cambaleante por entre os músicos desempregados que se reúnem na esquina da avenida Passos sob a marquise do Café Capital, do lado oposto ao Teatro João Caetano; passa na porta da igreja de Nossa Senhora da Lampadosa, sente o cheiro das velas sendo queimadas lá dentro e atravessa a rua para o lado do teatro, correndo a fim de se livrar dos automóveis; em todas as ruas da cidade os automóveis batem uns nos outros à procura de espaço para se locomoverem e passam por cima das pessoas mais lentas ou distraídas. Tonto, Raimundo apóia-se por uns instantes na base da estátua de bronze de um homenzinho gordo cheio de cocô de pombos, de saiote grego e sandálias gregas segurando uma espada, em frente ao teatro; ao lado, um camelô que vende cuecas e fitas métricas finge que não vê seu sofrimento. Raimundo vira à esquerda na rua Alexandre Herculano, uma rua pequena que só tem uma porta, a porta dos fundos da Faculdade de Filosofia que parece nunca ser usada, e afinal entra numa lanchonete na rua da Conceição, onde toma um suco de goiaba e rememora seu inominável encontro. Ele descobriu o nome sob o qual Satã se esconde, Augusto Epifânio. Augusto: magnífico, majestoso; Epifânio: oriundo de manifestação divina. Ah! ele não podia esperar outra coisa de Belzebu senão soberba e zombaria. E se esse que finge se chamar Augusto Epifânio não for o próprio Coisa Ruim é no mínimo um sócio dos seus malefícios. Lembrase do versículo 22,18 do Êxodo: "Tu castigarás de morte aqueles que usarem de sortilégios, e de encantamentos".

Volta a trovejar e a chover.

43

* * *

Mojica, o ex-apanhador de mulher gorda, diz a Augusto que os negócios não estão muito bons, a crise também o atingiu, está até pensando em voltar ao antigo negócio; por motivos que ele não sabe explicar, aumentou na cidade a quantidade de coroas gordas com dinheiro querendo casar com um homem magro cheio de músculos e de pau grande como ele, as gordas são créculas, têm bom gênio, quase sempre estão jogadas fora e não dão muito trabalho para serem engrupidas. "Basta uma por ano para o degas aqui levar uma vida confortável; e a cidade é grande."

Da praça Tiradentes, descartando parte das instruções de Benevides, Augusto vai para a rua do Jogo da Bola seguindo pela avenida Passos até a avenida Presidente Vargas; atravessar a Presidente Vargas, mesmo no sinal de trânsito, é sempre perigoso, está sempre morrendo gente atropelada naquela rua, e Augusto espera o momento certo e atravessa a rua correndo por entre os automóveis que passam velozes nas duas direções e chega do outro lado esbaforido mas com a sensação eufórica de quem conseguiu realizar uma proeza; descansa alguns minutos antes de seguir pela direita até a rua dos Andradas, dali até a rua Júlia Lopes de Almeida, de onde vê o morro da Conceição e logo chega na rua Tenente Coronel Julião, anda alguns metros e afinal encontra a rua do Jogo da Bola.

"Onde é que eu encontro o Zé Galinha?", ele pergunta a um homem de bermudas, sandália havaiana e camisa de meia com um cordão de contas de três voltas enrolado no pescoço, mas o homem olha para Augusto com cara feia, não responde e se afasta. Mais adiante Augusto vê um menino. "Onde é que eu encontro o chefe dos mendigos?", pergunta, e o menino responde "o tio me arranja uns trocadinhos?". Augusto dá um dinheiro para o menino. "Não conheço quem o senhor falou", diz o menino, "vai até a esquina da praça Major Valô, lá fica um pessoal que pode dizer pro senhor."

Na esquina da praça Major Valô estão alguns homens e Augusto se dirige para eles. Ao se aproximar, nota que está no grupo o homem de bermudas e colar de contas de três voltas no pescoço. "Bom dia", diz Augusto, e ninguém responde. Um negro grande, sem camisa, pergunta "quem foi que disse que o meu nome é Zé Galinha?".

Augusto percebe que não é bem-vindo. Um dos homens tem um porrete na mão.

"Foi o Benevides, que mora na rua do Carmo, esquina da Sete de Setembro."

"Aquele nego bebo é um vendido, feliz por poder morar numa caixa de papelão, agradecido por poder apanhar papel na rua e vender pros tubarões. Esse tipo de gente não apóia o nosso movimento."

"Alguém tem que dar uma lição nesse puto", diz o homem do porrete, e Augusto fica na dúvida se o puto é ele ou o Benevides.

"Ele disse que o senhor é o presidente da União dos Mendigos."

"E você quem é?"

"Estou escrevendo um livro chamado *A arte de andar nas ruas do Rio de Janeiro.*"

"Mostra o livro", diz o sujeito do colar de três voltas.

"Não está comigo, não está pronto."

"Como é o seu nome?"

"Aug — Epifânio."

"Que merda de nome é esse?"

"Revista ele", diz Zé Galinha.

Augusto deixa-se revistar pelo homem do porrete. Este dá para Zé Galinha a caneta, a carteira de identidade, o dinheiro, o pequeno bloco de papel e a pedra dentro de um saquinho de pano que Augusto ganhou do apanhador de mulher gorda.

"Esse cara é lelé", diz um preto velho, que observa os acontecimentos.

Zé Galinha pega Augusto pelo braço. Diz: "Vou conversar com ele".

Os dois caminham até o beco Escada da Conceição.

"Olha aqui, ô distinto, primeiro meu nome não é Zé Galinha, é Zumbi do Jogo da Bola, entendeu? E depois eu não sou presidente de porra nenhuma de União dos Mendigos, isso é sacanagem da oposição. Nosso nome é União dos Desabrigados e Descamisados, a UDD. Nós não pedimos esmolas, não queremos esmolas, exigimos o que tiraram da gente. Não nos escondemos debaixo das pontes e dos viadutos ou dentro de caixas de papelão como esse puto do Benevides, nem vendemos chiclete e limão nos cruzamentos.''

''Correto'', diz Augusto.

''Queremos ser vistos, queremos que olhem a nossa feiúra, nossa sujeira, que sintam o nosso bodum em toda parte; que nos observem fazendo nossa comida, dormindo, fodendo, cagando nos lugares bonitos onde os bacanas passeiam ou moram. Dei ordem para os homens não fazerem a barba, para os homens e mulheres e crianças não tomarem banho nos chafarizes, nos chafarizes a gente mija e caga, temos que feder e enojar como um monte de lixo no meio da rua. E ninguém pede esmola. É preferível a gente roubar do que pedir esmola.''

''Vocês não têm medo da polícia?''

''A polícia não tem lugar para botar a gente, as cadeias estão repletas e somos muitos. Ela prende e tem que soltar. E fedemos demais para eles terem vontade de bater na gente. Eles tiram a gente da rua e a gente volta. E se matarem algum de nós, e acho que isso vai acontecer a qualquer momento, e é até bom que aconteça, a gente pega o corpo e exibe a carcaça pelas ruas como fizeram com a cabeça do Lampião.''

''Você sabe ler?''

''Se não soubesse ler estava morando feliz dentro de uma caixa de papelão apanhando restos.''

''Onde vocês conseguem recursos para a associação de vocês?''

''Acabou o papo, Epifânio. Guarda o meu nome, Zumbi do Jogo da Bola, cedo ou tarde você vai ouvir falar em mim, e não será pelo bunda-suja do Benevides. Pega tuas coisas e te manda.''

Augusto volta para o sobrado da Sete de Setembro descendo do beco Escada da Conceição até a praça Major Valô. Segue pela ladeira João Homem até a travessa Liceu, onde tem um lugar chamado Casa do Turista, dali para a rua do Acre, depois rua Uruguaiana. A Uruguaiana está ocupada por tropas de choque da Polícia Militar, portando escudos, capacetes com viseiras, cassetetes, metralhadoras, bombas de gás. As lojas estão fechadas.

Kelly está lendo o pedaço de jornal marcado por Augusto como lição de casa.

"Isso é para você", diz Augusto.

"Não, muito obrigada. Você pensa que eu sou um cachorro de circo? Estou aprendendo a ler porque quero. Não preciso de agradinhos."

"Toma, é uma ametista."

Kelly pega a pedra e joga com força para cima. A pedra bate na clarabóia e cai no chão. Kelly dá um pontapé na cadeira, amassa o jornal numa bola, que joga em cima de Augusto. Outras putas já tinham feito coisas ainda piores, elas têm ataques de nervos quando ficam muito tempo sozinhas com um cara e ele não quer deitar com elas; uma quis pegar Augusto à força e deu uma mordida na orelha dele arrancando a orelha inteira, que ela cuspiu na latrina e puxou a descarga.

"Você está maluca? Podia quebrar essa clarabóia, ela tem mais de cem anos, ia matar o Velho de desgosto."

"Você pensa que eu estou engalicada, ou com AIDS, é isso?"

"Não."

"Quer ir ao médico comigo pra ele me examinar? Você vai ver que eu não tenho doença nenhuma."

Kelly está quase chorando, e com a careta que faz aparece a falha do dente, o que lhe dá um ar sofredor, desamparado, lembra os dentes que ele, Augusto, não tem e desperta nele um amor fraterno e uma desconfortável pena, dela e dele.

"Você não quer deitar comigo, não quer ouvir a história da minha vida, eu faço tudo por você, aprendi a ler, trato bem dos seus ratos, cheguei a abraçar uma árvore no Passeio Público e você nem tem uma orelha e eu nunca falei nisso que você nem tem uma orelha pra não te chatear."

"Quem abraçou a árvore fui eu."

"Você não sente vontade?", ela grita.

"Nem tenho desejo, nem esperança, nem fé, nem medo. Por

47

isso ninguém pode me fazer mal. Ao contrário do que o Velho disse, a falta de esperança me libertou."

"Eu te odeio!"

"Não grita que você vai acordar o Velho."

O Velho mora nos fundos da loja, embaixo.

"Como é que eu vou acordar ele se ele não dorme?"

"Não gosto de ver você gritando."

"Grito! Grito!"

Augusto abraça Kelly e ela fica soluçando com o rosto encostado no peito dele. As lágrimas de Kelly molham a camisa de Augusto.

"Por que você não me leva ao convento de Santo Antônio? Por favor, me leva ao convento de Santo Antônio."

Santo Antônio é considerado um santo casamenteiro. Nas terças-feiras o convento se enche de mulheres solteiras de todas as idades fazendo promessa para o santo. É um dia muito bom para os mendigos, pois as mulheres, depois de rezarem para o santo, dão sempre esmolas para os miseráveis pedintes, o santo pode estar notando aquele gesto de caridade e resolver favoravelmente o pedido delas.

Augusto não sabe o que fazer com Kelly. Diz que vai à loja conversar com o Velho.

O Velho está deitado, no quartinho do fundo da loja. É uma cama tão estreita que ele só não cai dela porque não dorme nunca.

"Posso falar um pouco com o senhor?"

O Velho senta na cama. Faz um gesto para Augusto sentar-se ao seu lado.

"Por que as pessoas querem continuar vivas?"

"Você quer saber por que eu quero continuar vivo, sendo tão velho?"

"Não, todas as pessoas."

"Por que *você* quer continuar vivendo?", pergunta o Velho.

"Eu gosto das árvores. Quero acabar de escrever meu livro. Mas às vezes penso em me matar. Hoje Kelly me abraçou chorando e tive vontade de morrer."

"Você quer morrer para acabar com o sofrimento dos outros? Nem Cristo conseguiu isso."

"Não me fale em Cristo", diz Augusto.

"Eu fico vivo porque não sinto muitas dores no corpo e gosto de comer. E tenho boas lembranças. Também ficaria vivo, se não tivesse lembrança alguma", diz o Velho.

"E a esperança?"

"A esperança na verdade só liberta os jovens."

"Mas você disse no Timpanas..."

"Que a esperança é uma espécie de libertação... Mas você precisa ser jovem para gozar isso."

Augusto sobe as escadas de volta para o sobrado.

"Dei queijo para os ratos", diz Kelly.

"Você tem alguma lembrança boa da sua vida?", pergunta Augusto.

"Não, minhas lembranças são todas horríveis."

"Vou sair", diz Augusto.

"Você volta?", pergunta Kelly.

Augusto diz que vai andar nas ruas. Solvitur ambulando.

Na rua do Rosário, vazia, pois já é noite, perto do mercado das flores, vê um sujeito arrebentando um telefone de orelhão, não é a primeira vez que ele encontra esse indivíduo. Augusto não gosta de se meter na vida dos outros, essa é a única maneira de andar nas ruas de madrugada, mas Augusto não gosta do quebrador de cabines telefônicas, não porque se importe com os telefones, desde que saiu da companhia de águas e esgotos nunca mais falou num telefone, mas não gosta da cara do homem, grita "pára com essa merda", e o depredador sai correndo em direção à praça Monte Castelo.

Agora Augusto está na rua do Ouvidor, indo em direção à rua do Mercado, onde não há mais mercado algum, antes havia um, uma estrutura monumental de ferro pintada de verde, mas foi demolido e deixaram apenas uma torre. A rua do Ouvidor, que de dia está sempre tão cheia de gente que não se pode andar nela sem dar encontrões nos outros, está deserta. Augusto caminha pelo lado ímpar da rua e dois sujeitos vêm vindo em sentido contrário, do mesmo lado da rua, a uns duzentos metros de distância. Augusto apressa o passo. De noite não basta andar depressa nas ruas, é preciso também evitar que o caminho seja obstruído, e assim ele passa para o lado par. Os dois sujeitos passam para o lado par e Augusto volta para o lado ímpar. Algumas lojas têm vigias, mas os vigias não são bestas de se meterem nos assaltos dos outros. Agora os sujeitos se separam e um vem pelo lado par e outro pelo lado ímpar. Augusto continua andando, mais apressado, em direção ao sujeito do lado par, que não aumentou a velocidade dos seus passos, parece até que diminuiu um pouco o ritmo da sua passada, um homem magro, com a barba por fazer, uma camisa de grife e tênis sujo, que troca um olhar com o seu parceiro do outro lado, meio surpreso com o ímpeto da marcha de Augusto. Quando Augusto está a cerca de cinco metros do homem do lado par, o sujeito do lado ímpar atravessa a rua e junta-se ao seu comparsa. Os dois param. Augusto aproxima-se mais e, quando está a pouco mais de um metro dos homens, atravessa a rua para o lado ímpar e segue em frente sempre na mesma velocidade. "Hei!", diz um dos sujeitos. Mas Augusto continua a sua marcha sem virar a cabeça, a orelha boa atenta ao barulho de passos às suas costas, pelo som será capaz de saber se os perseguidores andam ou correm atrás dele. Quando chega no cais Pharoux, olha para trás e não vê ninguém.

Seu Casio Melody toca a música de Haydn das três da madrugada, está na hora de escrever seu livro, mas ele não quer voltar para casa e encontrar Kelly. Solvitur ambulando. Vai até o cais dos Mineiros, caminha até a estação das barcas, na praça Quinze, ouvindo o mar bater na muralha de pedra.

Espera o dia raiar, em pé na beira do cais. As águas do mar fedem. A maré sobe e baixa de encontro ao paredão do cais, causando um som que parece um suspiro, um gemido. É domingo, o dia surge cinzento; aos domingos a maioria dos restaurantes do centro não abre; como todo domingo, será um dia ruim para os miseráveis que vivem dos restos de comida jogados fora.

*ardour/flame*   *darkness*

# LABAREDAS NAS TREVAS
*Fragmentos do diário secreto*
*de Teodor Konrad Nalecz Korzeniowski*

## 5 DE AGOSTO [1900]

Soube hoje, com dois meses de atraso, da morte de Crane, em Badenweiler, na Alemanha. Cora estava ao seu lado. Lembro-me dela, uma mulher inteligente, bonita, de grande vitalidade. Creio que acreditou, até o fim, que ela e a Floresta Negra poderiam salvar a vida de Stephen. No dia 10 de novembro ele faria vinte e nove anos. Uma inesperada felicidade tomou conta de mim o resto do dia.

Sempre fui um melancólico. Meu pai e minha mãe morreram quando eu tinha pouco mais de dez anos. Devido a envolvimentos políticos, meu pai esteve exilado os últimos dez anos de sua vida. Acompanhei-o no exílio e acabei tornando-me também um exilado, a vida inteira. Um exilado do meu país e da minha língua. Quando adolescente tentei acabar com a minha vida. Antes dos vinte anos tive uma paixão avassaladora por uma mulher que me transformou num pobre-diabo. Felizmente estes episódios estão agora esquecidos. De qualquer forma hoje é um dia feliz.

## 6 DE AGOSTO

Acordei pensando em Crane. Sempre me interessei pelos novos escritores que surgem. Quero saber o que estão fazendo, se têm a mesma força que eu. Descobri a existência de Crane (já se passaram cinco anos) ao entrar numa livraria em Londres e encontrar *The red badge of courage*. Peguei o trem para Sussex e naquela noite mesmo li o pequeno volume de menos de duzentas páginas. Como um sujeito com uma idade tão ridícula (Crane tinha vinte e três anos ao escrever o livro) conseguira fazer uma obra tão perfeita? Nela havia a tragédia pura, não como nos gregos, um capricho dos deuses, mas como uma criação exclusiva dos homens. Ali estava tudo que me interessava: o fracasso, o medo, a solidão, o desgosto, a corrupção, a covardia, o horror. O horror. O livro era tão bom, pensei, que certamente não seria reconhecido, nem pelos críticos, nem pelo público — por ninguém. Era mais um grande autor que morreria desconhecido. O dia começava a raiar quando me sentei para escrever meu novo livro. Estava dominado por uma exaltação — a euforia dos descobridores, a urgência dos ladrões — e não sentia fome nem cansaço. Não sei quantos dias fiquei trancado, sentado naquela mesa, escrevendo compulsivamente.

## 25 DE AGOSTO

Sinto ao escrever este diário o nojo exutório dos diários secretos, em que o ato de escrever é uma espécie de chaga que infligimos a nós mesmos para provocar uma supuração, uma expedição intensa de matéria purulenta.

Na verdade, ao contrário do que eu esperava, *The red badge of courage* estava vendendo, como me disse um livreiro, "de maneira fulminante". E as críticas eram muito boas, ainda as tenho até hoje, pois guardei-as cuidadosamente nestes cinco anos. Disse um crítico: "Ele consegue fazer um retrato mais completo e verdadeiro da guerra do que Tolstoi, em *Guerra e paz*, ou Zola, em *La débâcle*; reli as cenas de batismo de fogo do esquadrão de Rostow em Tolstoi, e as da batalha de Sedan, em Zola, e Crane sai ganhando...". Este outro: "Há ocasiões em que as descrições chegam a ser sufocantes". Outro mais: "Grande originalidade e talento...". Mais: "Um triunfo!...". Mais: "Surge uma estrela fulgurante!...".

## 10 DE SETEMBRO

Continuo com os recortes referentes a Crane sobre a minha mesa e apanhei recortes antigos que falam do meu quarto romance, *The nigger of the Narcissus*. W. L. Courtney, o crítico imbecil do *Daily Telegraph* de Londres, diz que procurei imitar *The red badge of courage* de Crane. "Ambos os livros têm a mesma qualidade espasmódica e possuem uma preocupação com a minúcia que chega a cansar. Mas, entre o original e a cópia, eu prefiro o original." Sempre que leio isso o meu coração se enche de ódio, apesar de alguns anos já terem transcorrido desde a sua publicação. Quando Wells, ao criticar *An outcast of the islands*, disse que eu era palavroso e que ainda tinha que aprender o mais importante, "a arte de deixar coisas por escrever", isso me incomodou, mas não tanto quanto as afirmações idiotas de que imito Crane. Alguém disse que o jornal de ontem serve hoje para embrulhar peixe. Mas isso não me vale de consolo. E de qualquer forma, nem todos os *Daily Telegraph* do dia 8 de dezembro de 1897 foram usados para embrulhar peixe. O meu, por exemplo.

## 10 DE OUTUBRO

Apanhei novamente a pasta de recortes. Procuro aqueles sobre *Lord Jim*. Sei tudo o que escreveram, mas releio assim mesmo. A repercussão de crítica e de público foi excelente. Mas lá está, uma linha apenas, no meio de um aluvião de elogios: "Há momentos em que *Lord Jim* lembra *The red badge*, de Crane...". Minhas mãos tremem, tantos anos depois, ao ler novamente a crítica sobre *Typhoon*: "O penetrante poder descritivo de *Typhoon*, a singular experiência cataclísmica de uma alma humana lutando contra sublimes obstáculos lembra o livro de Crane...".

Tenho certeza de ninguém, no mundo inteiro, crítico ou leitor, dirá hoje que eu, algum dia, fui influenciado por Crane. Mesmo assim, sinto um aperto no peito, como se tivesse no coração uma ferida não cicatrizada. Como pode um morto assombrar assim a minha vida?

* * *

Lembro-me do nosso primeiro encontro. Crane veio me visitar, dizendo que sempre quisera me conhecer. Levei-o para a minha biblioteca. Surpreendi-me ao verificar que ele era um jovem envelhecido. Ouvi-o falar da sua vida. Os livros que publicara, depois de *The red badge*, haviam sido recebidos com indiferença. O dinheiro que ganhara com seu best-seller "fulminante" fora dissipado em gastos delirantes. Crane disse que estava cansado de se exibir para o mundo, de ser o palhaço favorito, de perder os trens e as bagagens, de brilhar nas festas, de fazer o que os outros queriam. Pediu-me que o ajudasse a voltar a escrever. Disse que queria ser meu amigo, que gostaria de aprender comigo a enfrentar a solidão do nosso terrível ofício.

Na verdade, não o queriam mais nas festas, sua fama já não era suficiente para tornar engraçadas suas bebedeiras. Em menos de seis anos, antes mesmo de fazer trinta anos, começava a ser esquecido por todos.

Menos por mim.

Relembro também sua última visita. Veio acompanhado da mulher, jovem como ele. Crane não tinha mais nada do grande atleta que fora. Ia se internar numa clínica, à beira-mar, para ver se melhorava de saúde.

(Ainda o veria mais uma vez, na clínica, um dia antes da sua morte.)

*20 DE JULHO* [1912]

Peter Sumerville pede-me que escreva um artigo sobre Crane. Envio-lhe uma carta: "Acredite-me, prezado senhor, nenhum jornal ou revista se interessaria por qualquer coisa que eu, ou outra pessoa, escrevesse sobre Stephen Crane. Ririam da sugestão. Como? Stephen Crane? Quem é Stephen Crane? Daqui a cinqüenta anos algum crítico literário curioso (um desses escribas profissionais) talvez o redescubra como uma curiosidade e escreva um pequeno artigo para ganhar alguns trocados. Triste, mas verdadeiro. Dificilmente encontro alguém, agora, que saiba quem é Stephen Crane ou lembre-se de algo dele. Para os jovens escritores que estão surgindo ele simplesmente não existe".

## 20 DE DEZEMBRO

Muito peixe foi embrulhado pelas folhas de jornal.

Sou reconhecido como o maior escritor vivo da língua inglesa. Já se passaram dezenove anos desde que Crane morreu, mas eu não o esqueço. E parece que outros também não. *The London Mercury* resolveu celebrar os vinte e cinco anos de publicação de um livro que, segundo eles, foi "um fenômeno hoje esquecido" e me pediram um artigo.

Eis o que escrevi: "Como todo mundo, li *The red badge of courage* quando foi publicado. Mas à medida que virava as páginas desse pequeno livro que conseguira, naquele momento, uma recepção tão barulhenta, eu estava apenas interessado na personalidade do jovem escritor, tão festejado pela imprensa por sua juventude e outros atributos não literários. Sua morte prematura pode ter sido uma grande perda para os seus amigos, mas não para a literatura. Creio que ele deu tudo o que tinha a dar nos poucos livros que escreveu; e que procurou ser sincero ao descrever suas impressões. Fui vê-lo na clínica em que estava para se curar, mas um simples olhar bastou para me dizer que aquela era uma esperança vã. As últimas palavras que soprou para mim foram 'estou cansado'. Ao sair, parei à porta, para olhá-lo novamente, e notei que ele havia virado a cabeça no travesseiro e olhava pensativamente as velas de um barco que deslizava lentamente pela moldura da janela, como uma sombra indistinta contra o céu cinzento. Aqueles que leram suas pequenas narrativas *Horses* e *The boat* sabem que ele amava os cavalos e o mar. E sua passsagem nesta terra foi como a de um cavaleiro veloz na madrugada de um dia fadado a ser curto e sem sol".

O senhor Thompson, do *Mercury*, perguntou-me se eu não teria sido muito rigoroso no meu julgamento de Crane. Disse a ele que, ao contrário, eu fora até excessivamente generoso ao perder o meu tempo escrevendo sobre um autor medíocre.

Há coisas que não se perdoam, nem mesmo aos inocentes.

## 2 DE JULHO [1924]

A consciência da verdade contida no aforismo de Chaucer, "the lyf so short, the craft so long to lerne", em vez de dissuadir-me, deu-me ainda mais forças para dedicar-me obsessivamente ao aprendizado do mais solitário dos ofícios. Mas exauri-me nessa tarefa horrenda. Escrever foi a mais agoniante de todas as lutas que enfrentei. Ninguém pagou mais caro do que eu pelas linhas que escreveu. Ah, os esplendores ilusórios da glória! Eu estou acabado, aos sessenta e sete anos de idade. Meu último livro, *The rover*, não devia ter sido escrito.

Passei a noite acordado, com dores lancinantes na perna. Pensei muito em Crane. Escrevo novamente o nome dele: Crane.

O fogo na lareira está quase apagando. Sinto-me tão fraco que tenho medo de não ter forças para aproveitar esta ocasião em que estou sozinho e levantar da cama e, sem ninguém ver, jogar este diário sobre as brasas da lareira, para que as labaredas destruam todas as referências que fiz ao seu nome.

*OLHAR*

Um olhar pode mudar a vida de um homem? Não falo do olhar do poeta, que depois de contemplar uma urna grega pensou em mudar de vida. Refiro-me a transformações muito mais terríveis.

Eu não gostava de comer, até acontecerem os episódios que relatarei daqui a pouco. Tinha dinheiro para me alimentar com as mais finas iguarias, porém os prazeres da mesa não me atraíam. Por várias razões, nunca entrara num restaurante. Era vegetariano e gostava de dizer que necessitava apenas dos alimentos do espírito — música, livros, teatro. O que era uma estupidez, como o dr. Goldblum me provaria depois.

Minha profissão é escrever, todos sabem. Não preciso dizer o tipo de literatura que faço. Sou um escritor que os professores de letras, numa dessas convenções arbitrárias que impingem aos alunos, chamam de clássico. E isso nunca me incomodou. Uma obra é considerada clássica por ter, através dos tempos, mantido a atenção ininterrupta dos leitores. Que mais pode um autor querer? Que me chamem, pois, de clássico, ou mesmo de acadêmico. Mesmo antes de começar a escrever eu já preferia as obras de arte que o tempo consagrou, criações que pela pureza e perfeição da forma e do estilo se tornaram imortais. Felizmente, o acesso aos clássicos da literatura e da música não apresenta as dificuldades que existem, por exemplo, em relação ao teatro. As lojas de música e as livrarias, por mais reles que sejam, sempre oferecem, junto com o lixo abominável que costumam mercadejar, as obras de um ou outro grande mestre. Não há muito tempo descobri, numa livraria onde pululavam Sheldons e Robins, uma bela edição de *Orlando furioso*, de Ariosto, em italiano, uma pérola no meio do chiqueiro. Já quanto ao teatro a situação é desalentadora. Raramente se pode assistir à encenação de um Sófocles, um Shakespeare, um Racine, um Ibsen, um Strindberg. O que se oferece comumente ao espectador são os dejetos do provinciano teatro americano ou as mediocridades decadentes do teatro europeu — para não falar do teatro brasileiro, aprisionado ao subúrbio sórdido de Nelson Rodrigues. O cinema é uma arte menor — se é que se pode chamar de arte uma manifestação cultural incapaz de produzir uma obra verdadeiramente clássica. Quanto à ópera, eu a julgo um divertimento de burgueses ascendentes que supõem ser refinada essa mistura primária de drama e canto que, na verdade, ainda em passado recente, satisfazia apenas aos anseios culturais da rafaméia.

Era assim que eu pensava, nos tempos em que passava os dias em casa escrevendo e, quando não estava escrevendo, ouvindo Mozart e relendo Petrarca, ou Bach e Dante, ou Brahms e santo Tomás de Aquino, ou Chopin e Camões — a vida era curta para ler e ouvir tudo o que se encontrava à disposição do espírito e da mente de um homem como eu. Havia uma interessante sinergia entre música e literatura, que me propiciava uma fruição sublime.

Devo confessar que era também, antes dos episódios que relatarei, quase um misantropo. Gostava de ficar só e até mesmo a presença da empregada, Talita, me incomodava. Por isso ela recebera instruções de trabalhar no máximo duas horas por dia, e depois se retirar. Eu a mandava embora, transcorrido esse prazo, mesmo que o suflê de espinafre, que ela fazia diariamente, não tivesse ficado pronto, para, desta forma, poder escrever, e ler, e ouvir minha música, sem ninguém me incomodar.

Um parêntese: quando vou escrever, primeiro preparo a mesa. É uma coisa muito simples — um maço de folhas de papel artesanal de linho puro especial fabricado "en los talleres de Segundo Santos en Cuenca", que recebo regularmente da Espanha (só sei escrever nele, "los papeles contienen mezclas de lanas teñidas a mano, esparto, hierbas, helechos y otros elementos naturales") e uma caneta antiga, daquelas que têm um depósito transparente de tinta. Mais nada. Acho graça quando ouço falar em idiotas que escrevem em microcomputadores.

Mas voltemos à história. Uma tarde, enquanto lia Propércio ao som de Mahler, senti-me mal e desmaiei. Quando voltei a mim percebi que anoitecera. Um repulsivo suor frio cobria meu corpo, que tremia em espasmódicas convulsões cortadas por arrepios que faziam bater os meus dentes, como se fossem castanholas. Em seguida comecei a ter visões, a ouvir vozes.

Cambaleando, fui até a mesa do escritório, apanhei a caneta e escrevi um poema. Depois desmaiei novamente.

O médico, dr. Goldblum, a quem consultei no dia seguinte, disse que meu problema era inanição.

"Isso explica por que as visões passaram depois que tomei um copo de leite morno com açúcar."

"Os santos tinham visões porque jejuavam, e jejuavam porque tinham visões, um interessante círculo vicioso. Vou lhe confessar uma coisa: eu até que gostaria de ter esse tipo de visão, uma vez pelo menos. Agora vou ler o seu poema", disse Goldblum.

Eu entregara o poema ao médico, supondo tratar-se de um abjeto material semiótico que ajudaria a diagnosticar o surto de morbidez que eu havia sofrido. Agora, que sabia que tudo era apenas uma simples e passageira crise de inânia, não queria mais que o dr. Goldblum lesse o que eu havia escrito em meu delírio; palavras grosseiras que os clássicos, com algumas exceções (pensei em Gil Vicente, Rabelais), jamais usariam. Tentei tirar o papel que o esculápio tinha na mão, mas ele foi mais rápido e, protegendo-se atrás da mesa, leu o poema:

OS TRABALHADORES DA MORTE

(Para Mégnin e H. Gomes)

*Joyce, James se emocionava com a marca marrom*
*de cocô na calcinha*
*(nem tão calcinha assim, naquele tempo)*
*da mulher amada.*
*Agora a mulher morreu*
*(a dele, a sua e a minha)*
*e aquela mancha marrom de bactérias*
*começa a tomar conta do corpo inteiro.*
*Elas atacam em turnos:*

*muca, muscina e califora, belos nomes,*
*dão início ao trabalho de destruição;*
*lucilia, sarcófaga e onésia*
*fabricam os odores da putrefação;*
*dermestestes (afinal um nome masculino)*
*cria a acidez da pré-fermentação;*
*fiofila, antomia e necróbia fazem*
*a transformação caseínica dos albuminóides;*
*tireófiro, lonchea, ofira, necroforus e saprinus*
*são a quinta invasão, dedicada à fermentação;*
*urópode, tiroglifos, glicífagos, tracinotos e serratos*
*consagram-se à dissecação;*
*anglossa, tineola, tirea, atageno, antreno*
*roem o ligamento e o tendão,*
*afinal tenébrio e ptino acabam com o que restou*
*de homem, gato e cão.*
*Não há quem resista a esse exército*
*contido num cagalhão.*

"Muito interessante, trata-se de uma visão poética delirante de um jejuador", disse Goldblum, que confessou cometer, nas horas vagas, seus versejares bissextos. "Parece coisa de Augusto dos Anjos." Recitou solenemente: "Verme é o seu nome obscuro de batismo, jamais emprega o acérrimo exorcismo em sua diária ocupação funérea, e vive em contubérnio com a bactéria, livre das roupas do antropomorfismo. Lembra?".

Envergonhado, por ter cometido uma peça de literatura tão medíocre e suspeita, eu não soube o que dizer.

Goldblum quis saber como eu tomara conhecimento do nome de todas aquelas bactérias, mas eu não sabia como isto acontecera. Nós escritores temos muitas coisas dentro da cabeça, algumas esquecidas e abandonadas como trastes no porão de uma casa. Quando são recuperadas, a gente se pergunta, como é que isso veio parar aqui? Isso é meu?

Goldblum sugeriu um final "menos grosseiro" para o poema. Assim:

*afinal tenébrio e ptino acabam com o que restou*
*de homem, cão e jumento.*
*Não há quem resista a esse exército*
*contido num excremento.*

"Palavras chulas não se coadunam com a poesia", ele disse.

"Foi um pesadelo, pesadelos são grosseiros", justifiquei-me.

Médico e cliente, no consultório refrigerado, ficamos conversando calmamente sobre música, literatura, pintura, até que a enfermeira, preocupada com o número crescente de clientes esperando atendimento, entreabriu a porta, enfiou a cabeça e disse:

"Já chegou o senhor J. J. Monteiro Filho."

"Diga para esperar."

"E também a dona Evangelina Abiabade."

"Diga para esperar."

"E o engenheiro Bertoldo Pingler."

"Que esperem, que esperem", disse Goldblum, irritado.

A enfermeira desapareceu, fechando a porta.

"Você precisa comer", disse Goldblum. "A coisa mais criativa que o homem pode fazer é comer. Tenho um grande respeito pela gula. Comer é vital — uma obviedade às vezes esquecida. Arte é fome."

Arte é fome. Naquele instante não compreendi a profundidade da frase de Goldblum.

"Vamos jantar juntos hoje", ele disse. Goldblum acabara de se separar da mulher e jantava todas as noites fora de casa, variando de restaurantes. "Passo em sua casa às oito horas."

Não soube dizer não. Afinal, Goldblum fora muito gentil e atencioso comigo, seria uma indelicadeza não aceitar o convite.

Já em casa, naquela noite, estava ouvindo Schumann quando Goldblum chegou. Goldblum, esqueci-me de dizer, era um homem gordo, com uma grande barriga, calvo, de olhos redondos e úmidos.

"Vou levá-lo ao restaurante que tem o melhor peixe da cidade", ele disse.

O restaurante possuía um enorme aquário cheio de trutas azuladas. Goldblum levou-me até o aquário.

"Escolha qual dessas trutas você quer comer", disse, enquanto olhávamos os peixes nadando de um lado para o outro. "Truta é uma carne leve, não lhe fará mal."

Eu não sentia vontade de comer truta, ou qualquer outra coisa.

"Que critério devo adotar, em minha escolha?", perguntei, para ser gentil.

"O critério é sempre o do sabor", respondeu Goldblum.

"Qual é a mais saborosa?"

"Uns gostam das grandes. Outros das pequenas."

Ante essa resposta, que considerei idiota e evasiva, decidi que não comeria a truta. Certamente saberiam fazer ali um suflê de espinafre.

Subitamente percebi que uma das trutas me olhava. Nadava de maneira mais elegante do que as outras e possuía um olhar meigo e inteligente. O olhar da truta deixou-me encantado.

"Belo, o olhar desta truta." Apontei o peixe.

Um garçom aproximou-se, atendendo ao estalo de dedos de Goldblum.

"Esta e mais esta", disse Goldblum. O garçom enfiou uma rede no aquário.

"Não, não!", gritei, porém já era tarde. Os dois peixes haviam sido apanhados e o garçom se retirava com eles para a cozinha.

"Não estou com fome."

"Comer e coçar... Você conhece o ditado...", disse Goldblum.

As trutas foram servidas aux amandes, junto com um trocken alemão (Goldblum permitiu-me apenas um cálice). Eu não queria comer. Foi preciso que Goldblum instasse repetidamente comigo.

"Você necessita dos nutrientes deste belo salmonídeo", convenceu-me, afinal.

Coloquei, então, o primeiro pedaço na boca. Em seguida outro naco, e outro, e a truta foi inteiramente devorada.

Comer aquela truta, devo admitir, foi uma experiência mais do que agradável. Eu não esperava sentir um prazer e uma alegria tão grandes, apenas por ingerir um mísero pedaço de carne de peixe. Todavia, quando Goldblum quis marcar um outro jantar para o dia seguinte, escusei-me, com um falso pretexto.

"Eu lhe telefono um dia desses", disse, intimamente decidido a nunca mais ligar para o médico.

Durante alguns dias comi — na verdade deixei de comer — o suflê de Talita. Pensava na truta, de uma maneira extremamente complexa: no gosto da carne; nos elegantes movimentos do peixe nadando no aquário; na estranha sensação que tivera ao abrir a truta com a faca, como um cirurgião, seguindo instruções de Goldblum; e pensava, principalmente, no olhar da truta respondendo ao meu olhar.

Enquanto isso, mergulhava em elucubrações etológicas e literárias. Lembrava-me do conto de Cortázar em que o narrador se torna um axolotl, e no conto de Guimarães Rosa, em que ele se transforma numa onça. Mas eu não queria tornar-me uma truta: eu queria COMER uma truta de olhar inteligente.

Eu não conhecia restaurantes e não me lembrava do nome daquele em que comera a truta com Goldblum. Fui a um restaurante, que anunciava ser especializado em peixes. Entrei, constrangido, sentei-me e quando o garçom se aproximou perguntei pelo aquário, pois queria escolher a minha truta. O garçom chamou o maître, que explicou que eles não tinham aquário, mas que as trutas estavam frescas, haviam chegado da serra da Bocaina naquele dia. Desapontado, pedi truta aux amandes, como da outra vez.

Minha decepção foi imensa. O peixe não era igual ao outro que eu degustara com tanta emoção. Não tinha cabeça, nem olhos. Eu lhe dediquei a mesma atenção meticulosa, separando a carne das espinhas e da pele, mas, na hora de comer, o sabor não era parecido com o da carne que provara anteriormente. Era uma carne insípida, sem caráter ou espírito, insossa, sem frescura, enfadonha, sem elã, com um sabor de coisa diluída — um calafrio varou meu corpo —, de coisa morta.

No dia seguinte, lista telefônica à minha frente, liguei para todos os restaurantes da cidade, para saber quais deles tinham aquários onde os fregueses pudessem escolher os peixes que iriam comer. Anotei os nomes de todos e, naquele mesmo dia, fui jantar num deles.

Desta vez entrei mais confiante. Escolhi, entre as várias que nadavam nervosamente no aquário, uma truta parecida com a primeira — na cor, na elegância dos movimentos e, mais que tudo, no brilho significativo do olhar. Quando a colocaram no meu prato senti um frisson tão forte que temi que os ocupantes das mesas vizinhas o tivessem percebido. Ao comê-la, tive a alegria de poder confirmar que seu gosto era deliciosamente igual ao da primeira.

Minha vida mudou depois desse dia. Dispensei Talita de fazer o suflê. Saía todas as noites para jantar num dos restaurantes com aquários.

Alguns tinham também lagostas e lagostins, que outrossim passei a comer, com grande prazer, conquanto esses animais tivessem olhos miúdos e opacos. Mas a força vital que se desprendia da carne sólida deles compensava a falta de um olhar sensível e inteligente. Sentia-me atraído pela robusta assimetria arcaica, pela monstruosa estrutura pré-histórica desses crustáceos.

A partir de então, enquanto ouvia música, durante o dia, minha mente não mais vagava em nebulosas divagações poéticas: pensava no que iria comer à noite.

Os garçons já me conheciam. Sabiam que eu só comia trutas, lagostas e lagostins tirados vivos do aquário. Mas um dia, um garçom novo perguntou-me o que eu queria comer.

"Existe alguma outra coisa?", perguntei.

"Temos coelho à caçadora, cabrito, carneiro..."

"Onde é que eles estão?", perguntei, olhando para o aquário.

"Onde é que eles estão?", perguntou por sua vez, perplexo, o garçom.

"Sim", eu disse, "quero vê-los."

"Estão na cozinha", disse o garçom. "Um momentinho."

O garçom voltou com o maître, que me reconheceu.

"O senhor hoje não quer comer uma truta? Uma lagosta?"

"O garçom sugeriu um coelho", eu disse. "Nunca comi coelho. É bom?"

"Nosso coelho é ótimo", disse o maître.

"Eu queria vê-los."

"Vê-los?"

"Sim. Para escolher."

"Para escolher", repetiu o maître.

"Sim. Como faço com as trutas e as lagostas."

"Ah, sim, sim, entendo. Mas acontece que os coelhos já estão —", ele ia dizer mortos, senti que ele ia dizer mortos, todavia percebeu que isto talvez chocasse um freguês como eu, e preferiu dizer "— temperados."

"Temperados?"

"Sim, temperados." O maître sorriu, satisfeito, por ter conseguido inventar uma metáfora tão eficiente. "Os coelhos, ao contrário das trutas, têm que ser temperados algum tempo antes de serem degustados."

"Então me mostre os cabritos", eu disse. Talvez influenciado pelo garçom, eu decidira comer, naquele dia, um animal diferente, da terra e não da água.

"Com os cabritos é a mesma coisa. Eles já estão, han, temperados."

"Onde é que eles se encontram?"

"Onde?", o maître sentiu que suava; discretamente, com muita rapidez, limpou a testa com um lenço que tirou do bolso. "Onde? Nas travessas."

"Posso ver?"

"Sim. Mas eles não estão inteiros. Cabritos são animais grandes, não sei se o senhor já viu um."

"Não, nunca vi. Eles têm chifres?"

"Sim, eles têm chifres. Mas são pequenos, os chifres. Pode comer sem susto, nós tiramos os chifres." Um sorriso nervoso e outra limpeza rápida da testa. "Assados, com brócolis, são uma delícia." (Ele não me disse, mas eu soube, depois, que os cabritos são comidos esquartejados.)

"E os coelhos? Também nunca vi um coelho."

"Esses não têm chifres."

"Isso eu sei. Os animais que têm chifres são o boi, o cabrito, o rinoceronte."

"A girafa..."

"Vocês têm girafa?"

"Não, não, não temos. O que eu queria dizer é que elas têm chifres. Um chifrinho pequeno. As girafas."

"Maior ou menor do que o do cabrito?"

"Digo pequeno em comparação ao seu tamanho. As girafas são altas", disse o maître. Parecia muito perturbado. (A definição do Bluteau é de que "a girafa é um animal maior do que um elefante".)

"Pode comer o coelho sem susto", disse o maître cortando os meus pensamentos. "Seu Abílio", disse para o garçom que assistia ao diálogo, "traga um coelho à caçadora para o cavalheiro."

Então comi aquela comida extravagante. Era um gosto inesperado, diferente de tudo que eu havia conhecido até então.

Comi consciente, o tempo todo, da peculiaridade daquele sabor, uma doçura que não era a do mel, muito menos a do açúcar, um paladar que me dava uma inesperada sensação de gozo singular.

Ao chegar em casa coloquei Satie, esse rebelde, no aparelho de som, e fiquei imaginando como seria aquela iguaria, se eu pudesse escolhê-la imediatamente antes de ser preparada, como eu fazia com as trutas e lagostas, que prazer gustativo me seria propiciado se eu pudesse ver os olhos dos coelhos antes de morrerem. Lembrei-me das diferenças de sabor entre a truta que haviam posto no meu prato, sem que a tivesse visto antes (e ela visto a mim), e aquelas que eu escolhia, após demorada contemplação mútua. Trutas que eu selecionava após olhar e perceber tudo o que elas significavam, objetiva e subjetivamente, cor, movimento, e, mais do que tudo, o furtivo e sutil olhar de resposta — sim, a truta olhava de volta, sub-repticiamente, uma coisa tímida e ao mesmo tempo matreira, astuta, que procurava estabelecer comigo uma comunhão dissimulada, secreta, sedutora.

No dia seguinte voltei ao restaurante e disse que queria ver o coelho "temperado".

O maître, recalcitrante, levou-me à cozinha e mostrou-me o coelho deitado numa travessa de alumínio, que tirou da geladeira. O coelho estava inteiro, sem cabeça e com um buraco onde deveriam estar as vísceras. Isso não me surpreendeu, eu sabia que os animais eram estripados, antes de serem comidos. Trutas também tinham tripas, o mesmo ocorrendo com as lagostas.

O coelho decapitado me pareceu uma coisa feia, algo indefinido entre gato e cachorro, já que a cabeça é que distinguia esses animais um do outro, quando mortos e esfolados. A um bicho sem cabeça falta algo muito importante, os olhos.

Comi o coelho que me haviam exibido, tendo antes pedido ao cozinheiro que me explicasse como aquele prato — coelho à caçadora — devia ser preparado.

O cozinheiro ensinou-me mais coisas.

Fui a uma loja na cidade, que vendia animais de estimação. Queria ver um coelho vivo. Havia vários na loja, cinzentos ou brancos, e o olhar evasivo deles, dentro de órbitas pequenas, era difícil de captar.

Ah, que animal manhoso, pensei. Um deles era tão bonito que eu o comprei, mesmo sendo mais caro que os outros. Era um belo coelho angorá, de longos e sedosos pêlos brancos.

No caminho de casa, carregando o coelho numa caixa de papelão, parei num mercado para comprar cenouras e batatas.

O coelho não se interessou pelas batatas, mas comeu, instalado no tapete persa da sala, as cenouras com grande dedicação. Enquanto ouvia Brahms, fiquei contemplando a mastigação silenciosa do coelho.

Como se alimentam de maneira delicada os animais, pensei. Evidentemente nunca vi um porco comendo, mas suponho que eles também, ao comer, ainda que possam parecer mais vorazes do que os outros animais, conforme consta na literatura, demonstrem nesse ato, como todos nós, a fragilidade e beleza essenciais à sua singular condição animal. Arte é fome.

O olhar esquivo do coelho me incomodou um pouco, faltava-lhe a candura, a franqueza do olhar da truta. Mas talvez fosse uma questão de sensibilidade e perspicácia — mas quem, qual, seria mais sensível e/ou inteligente que o outro? Eu sabia que na água habitavam alguns dos animais mais inteligentes da natureza; mas a truta não costumava ser incluída entre esses, era conhecida mais pela energia física, pelo vigor peripatético.

Eu nada sabia sobre coelhos. Eram um mistério para mim. Mas sabia, agora, matá-los e cozinhá-los, conforme o cozinheiro do restaurante me havia ensinado.

Segurei o coelho pelas orelhas, com a mão esquerda. As pernas do animal se distenderam, mas ele logo as encolheu e lançou-me um olhar. Um olhar significativo e direto, afinal!

"Obrigado, obrigado por esse olhar espontâneo e cândido", eu disse, sempre segurando o coelho pelas orelhas. Coloquei os rostos, o meu e o do animal, frente a frente, muito próximos. Li o olhar dele, um olhar de obscura curiosidade, de leve interesse, como se o que fosse acontecer não lhe importasse. Não era, pois, um olhar inquisitivo, de sondagem. Estão a me segurar pelas orelhas, é tudo que ele devia estar pensando.

Com a aba da mão direita, os dedos estendidos e juntos, dei um golpe na nuca do coelho. O cozinheiro me assegurara que apenas um golpe seria suficiente para matar o animal.

Mas todos aqueles anos em que passei comendo irregularmente suflês de espinafre, e sentado escrevendo, e deitado ouvindo e lendo os grandes clássicos, haviam contribuído muito pouco para o desenvolvimento da minha força muscular. O coelho, ao receber o golpe, tremeu e continuou com os olhos abertos, agora exprimindo um vago medo. Não era, todavia, um sentimento irracional, o coelho sabia o que estava acontecendo, que estava à mercê de um ente poderoso, que não poderia fugir e só lhe restava a resignação.

Encaramos, um ao outro — o coelho tremendo sem nenhum pudor, os estóicos olhos arregalados.

Foram precisos uns três ou quatro golpes. Finalmente o coelho cessou de se debater.

Eu estava exausto. Deve ser isso o que sente o sujeito que ganha a maratona, pensei ao notar que, junto com a fadiga, sentia uma estuante euforia.

Coloquei a *Nona sinfonia* de Beethoven no aparelho e fui, inteiramente nu, para a banheira, com o coelho e mais uma faca e dois caldeirões. Tinha receio, naquele primeiro dia, ainda inexperiente, de sujar a cozinha de sangue ao estripar e esfolar o coelho, de acordo com as instruções do cozinheiro.

A faca era afiada e não tive muitas dificuldades. Sentado nu na banheira, realizei a esfoladura e a evisceração do leporídeo. Findo o trabalho, coloquei as sobras — tripas asquerosas, peles, gânglios — num caldeirão. O coelho, pronto para ser temperado, em outro.

Em seguida lavei a banheira e tomei um longo banho morno.

Do banheiro, que ficara imaculadamente limpo, fui para a cozinha, onde preparei o coelho, ensopado com cenouras e batatas, agora ouvindo os *Noturnos* de Chopin.

Afinal o coelho estava pronto, à minha frente.

Comecei a saboreá-lo delicadamente, em pequenas porções. Ah!, que prazer excelso! Foi uma lenta refeição, que durou a *Júpiter*, de Mozart, inteira. Mozart não se incomodaria de eu ter usado sua música como mera *tafelmusik*, se soubesse do gozo que senti.

Depois fui escovar os dentes. Contemplei, através do espelho, pensativo, a banheira. Quem fora mesmo que me dissera que os cabritos tinham um olhar ao mesmo tempo meigo e perverso, uma mistura de pureza e devassidão? E o olhar dos seres humanos? Hum... Aquela banheira era pequena. Precisava comprar uma maior. Talvez uma jacuzzi, das grandes, com jatos estimulantes.

Fiquei vendo meu rosto no espelho. Olhei meus olhos. Olhando e sendo olhado — uma coisa afinal irrefletida, um eixo de aço, lava de um vulcão sendo expelida, nuvem infindável.

O olhar. O olhar.

*A SANTA DE SCHÖNEBERG*

## URSULA

Vê do seu quarto a cozinha do apartamento vizinho.

Ao fundo há uma porta, que, supõe, deve dar acesso a um corredor; perto dessa porta, uma mesa, de madeira clara, com quatro cadeiras iguais. Vê ainda um fogão de quatro bocas, armários, baixos e altos, pintados de branco; uma geladeira pequena e uma máquina de lavar roupa, do tamanho da geladeira, tudo na cor branca. Sobre os armários baixos, do lado em que fica a geladeira, há uma comprida bancada. A máquina de lavar roupa fica próxima da janela, do lado oposto ao da geladeira, junto a uma pia com duas cubas de aço inoxidável. A persiana horizontal dessa janela nunca foi baixada durante as obras que acabaram de ser realizadas naquele apartamento. Agora não mora ninguém ali para fazer isso.

O que a atrai naquela cozinha é ela estar sempre vazia. Cozinhas são lugares movimentados, pelo menos as que conhece. Quando a obra terminou, alguém deixou a luz acesa e às vezes ela acorda no meio da noite e vai contemplar a cozinha que, emoldurada pela janela e pela escuridão, parece, em sua imobilidade, uma fotografia.

Hoje, um homem apareceu na cozinha, com uma saca, colocou-a sobre a mesa e desapareceu.

A saca está sobre a mesa há um longo tempo e o homem não aparece para esvaziá-la e arrumar as compras em seus lugares. Talvez dentro da saca não existam coisas para serem colocadas nos armários.

Ursula sai e compra um binóculo. Há uma forte razão para

77

ela se interessar por esse homem. Todo mundo pode ser curioso, mas ela não é; todo mundo come carne, ela não come.

Com o binóculo consegue ler o nome do supermercado estampado na saca. O que está o homem esperando, para esvaziar a saca?

Ele demora a reaparecer, com um livro debaixo do braço. Ursula não consegue ler o título do livro.

O homem olha para a saca, como se fosse um quebra-cabeça. Ursula o observa através do binóculo. Afinal ele retira as mercadorias: oito latas de sopa, não, nove latas de sopa, um pedaço de pão preto envolto em papel celofane, e uma garrafa de vinho tinto. Depois pega a garrafa de vinho e fica olhando para o rótulo. A saca parece vazia, mas o homem retira dela uma última lata, de atum. Em seguida, com o livro na mão, sai da cozinha, deixando a luz acesa. Ursula espera, inutilmente, que ele volte para arrumar as latas num dos armários. Antes de dormir Ursula lê o rótulo da garrafa de vinho sobre a mesa num ângulo conveniente para seu binóculo: Crianza de Cavas Murviedo, em letras negras. Em vermelho, Vino Tinto Valencia. A garrafa tem em torno dela um fio dourado entrançado em formas losangulares.

O homem nunca toma a sopa à mesma hora; nem senta na mesma cadeira, cada vez que sorve a sopa. Às vezes come, junto com a sopa, um pedaço do pão preto. Com um abridor manual retira a tampa da lata, coloca a lata de sopa em uma pequena panela com água, espera a água ferver, tira a lata da panela, põe a lata sobre um prato e toma a sopa diretamente da lata. Ele não deve gostar de lavar louça, provavelmente. Sobre a bancada estão várias latas de sopa vazias, com as colheres dentro. Mas nem sempre ele usa uma colher, às vezes bebe diretamente da lata, provavelmente as sopas mais ralas.

Certas ocasiões ele aparece na cozinha com um charuto aceso entre os dedos, coloca o charuto num pires que apanha ao acaso no armário, toma a sopa e depois esquece o charuto no pires. Há muitos pires espalhados sobre a mesa, com tocos de charutos apagados.

Outra coisa que ele faz sempre é pegar a garrafa de vinho e ler o rótulo. Ursula cronometra o tempo que ele gasta para ler o rótulo: dez segundos.

Daqui a pouco ele não terá mais nem colheres nem xícaras limpas e terá que lavar uma delas.

Ele toma a sopa curvado sobre a lata, como um cão, quando usa uma colher.

Ursula, se sair do seu prédio e caminhar para o lado direito e dobrar a esquina, pode chegar em frente à porta de entrada do edifício do seu vizinho com apenas alguns passos.

Afinal acabaram as colheres e o homem pega uma colher suja de uma das latas vazias e toma a sopa que esquentou. Neste dia Ursula sai do seu apartamento; na rua, segue pelo lado direito, dobra a esquina.

O prédio do seu vizinho tem o número 52. É um edifício velho, reformado, com uma porta antiga, grande, de madeira. Um aviso diz que precisam de faxineira no apartamento 12. Ursula não sabe qual o apartamento do seu vizinho, mas espera que seja o 12. Provavelmente o homem cansou-se da sujeira da sua cozinha e resolveu arranjar alguém para limpá-la. Ele mesmo pode fazer isso, mas há homens que gastam dinheiro como bobos. Ursula volta para seu posto de observação.

Não aparece nenhuma faxineira na cozinha. O que ela vê talvez não seja o apartamento 12.

Ninguém pode viver comendo apenas um prato de sopa com pão preto, e o pão preto somente de vez em quando. Ele deve comer fora, certamente. Mas Ursula tem a impressão de que o homem está emagrecendo.

No dia em que saiu e foi ver a porta do prédio do vizinho, Ursula aproveitou e comprou duas latas de sopa, das que o homem toma, uma de creme de brócolis, outra de legumes variados. Ela nunca tomou sopa de lata, as comidas em conserva estão contaminadas de porcarias químicas.

O homem está mais magro sim. As calças dele dão agora a impressão de terem alargado e afrouxado na cintura. Ele sempre usa a mesma calça jeans. O rosto magro dele ficou mais ossudo.

Um dia e uma noite inteira sem ele aparecer na cozinha. De manhã, Ursula sai e novamente dobra a esquina. O anúncio da faxineira ainda está lá. Num impulso, toca a campainha do

79

apartamento 12. Ninguém responde. Toca a campainha do porteiro. Aparece uma mulher gorda, corada, de avental e chinelos, que abre a porta.

O vestíbulo do prédio tem paredes, até mais ou menos a altura do queixo de Ursula, cobertas de mármore antigo, de cor bege, com algumas estrias e manchas causadas pelo tempo.

"É sobre a faxineira", ela diz.

A mulher a examina de cima a baixo. Eu devia ter vestido outra roupa, pensa Ursula.

"É você, a faxineira?"

E se o 12 não for o apartamento dele? Seu coração bate nervosamente. "Sim, sou eu", responde com veemência excessiva.

"Venha"

A mulher sobe a escada, seguida por Ursula. Abre uma porta.

Ursula vê um corredor. Seu coração continua a bater com força.

Logo na entrada do corredor, à esquerda, a mulher mostra um armário, onde há vassouras, um aspirador de pó. Diz quanto Ursula receberá por hora. "Quando terminar me procure."

A mulher sai, Ursula corre em direção à cozinha, a primeira porta à esquerda de um corredor que lhe parece mais longo do que deveria ser. A cozinha dele! Ali estão as latas de sopa vazias, cada uma com uma colher, as xícaras com tocos de charutos, a garrafa de vinho. Sente-se invadida por uma grande felicidade, por uma forte energia. E uma ânsia.

Vista de perto a cozinha está ainda mais desarrumada. No ar, um odor forte de charutos. Da janela da cozinha procura localizar a janela do seu quarto. Lá está ela, com as cortinas cerradas; de trás daquelas cortinas ela espia o homem; sente pena dele. Senta-se, com um suspiro. A cozinha tem um pé direito muito alto, o prédio do homem é mais antigo do que o dela, escapou da destruição.

Antes de começar a arrumar a cozinha faz um exame da casa.

## URSULA E MARIE

"Você ficou observando esse homem dois meses?"

Marie está acostumada com as excentricidades de Ursula. Ultimamente Ursula se diz sensitiva esotérica.

"Um mês e vinte e dois dias."

"Por que você se interessou tanto por esse homem?"

"Não sei se posso dizer."

"Por que ele toma sopa numa lata o tempo todo?"

Ursula não responde.

"Ou por que ele fuma charutos? Ele é bonito?"

"Não."

"Você não sabe por quê?"

"Sei."

"Então diga."

"Ele, de certa forma, é meu."

"Mas você nem o conhece."

"Como não conheço? Eu o vejo todos os dias. Meu namorado eu via uma vez por semana."

"Ele é bonito?"

"É. Quer que eu o chame para vir comer com a gente? Posso fazer um espaguete."

"Você acha que ele vem?"

"Vem."

"Me conta o resto da sua incursão à casa do homem que toma sopa na lata."


## URSULA

"Você está num corredor comprido, logo que entra no apartamento. As paredes são pintadas de branco. Há um armário, logo à esquerda, com três portas de persianas de madeira escura. Dentro do armário, um paletó de lã e um blusão de couro. Depois vem a cozinha, mas sobre a cozinha eu já falei. Então, a sala. Dois sofás e duas poltronas de tecido negro, mesa de vidro com um recipiente de louça no centro, do qual sai um girassol de papel amarelo e vermelho, quatro janelas, as cortinas descidas. Adiante, dando para o corredor, fica a outra sala, que também tem quatro janelas com as cortinas também fechadas. Uma cama negra, com algumas almofadas negras sobre ela. Um estante vazia, uma mesa sem nada em cima, as gavetas vazias, também negras, tudo é negro, no apartamento, ou então imaculadamente branco. Finalmente o quarto. Uma cama de cabeceira negra com lençóis brancos, uma mesinha de cabeceira, uma cômoda, negras. Sob os lençóis a cama é negra, como a da segunda sala. Na parede uma enorme reprodução de uma pintura a óleo de uma mulher de pernas abertas e meias grossas escuras e blusa escura. Reconheci o quadro. *Sitzende Frau mit hochgezogen Knie.* Pela primeira vez achei que ela tinha a minha cara. Escrevi num papel 'há uma mulher como esta na cidade, você quer conhecê-la?' e também o número do meu telefone. Com o broche de crisálidas que sempre uso, alfinetei o bilhete na reprodução da parede, bem em cima do lugar onde ficava o sexo da mulher. Por isso é que eu sei que ele vai aceitar o meu convite para comer espaguete."


## URSULA E ROBERTO

Roberto vê o bilhete e telefona para Ursula.

Encontram-se na casa de Ursula.

Ursula leva Roberto para o quarto.

"Aquela é a sua cozinha. Passei dias e dias aqui olhando sua cozinha. Fingi-me de faxineira para entrar em sua casa."

Roberto devolve o broche de crisálidas para Ursula.

"Você não se parece com ela", diz Roberto.

"Nem o nariz?"

"Nem o nariz. É difícil alguém se parecer com Edith."

"Você gosta de Schiele? Claro, que pergunta boba, se não gostasse não teria uma reprodução dele na parede."

Roberto tira a roupa lentamente.

"O que você está pensando?", pergunta Ursula, também se despindo.

"Em Edith."

"Agora que está aqui, quero que pense só em mim."

Depois desse breve momento de melancolia e possessividade, os dois ficam excitados e felizes com a nudez recíproca. O grande membro ereto de Roberto dá a Ursula uma sensação de paz e segurança.

## DIÁLOGO A TRÊS

A boca de Marie sempre aberta, os dentes grandes e perfeitos aparecendo, a timidez no seu rosto juvenil atraem Roberto. Sente vontade de abraçá-la, mas permanece quieto.

Ursula diz que gostaria de se dedicar a curar as pessoas. Mas não à maneira de um médico.

"Como então?"

"Colocando as mãos sobre elas. Com essa mão" — a direita — "eu dou. Com esta" — a esquerda — "eu tiro."

Roberto e Marie afirmam que Ursula quer ser algo parecido com uma bruxa. Usam a palavra espanhola, que lhes parece a mais sonora.

Há, segundo Ursula, um lado emocional, outro racional, outro esotérico nas pessoas. Ela só lida com o último. "Só confio no esotérico."

É formada em economia, abandonou um bom emprego, e seus pais estão muito preocupados com ela.

"Tenho alguma doença para ser curada?", pergunta Roberto, irônico.

"Para ser curada, não", diz Ursula.

"Acho que vou fazer o espaguete", diz Marie.

Marie coloca para ferver, numa panela, seis tomates. Outra panela com água, para o espaguete. Roberto e Ursula continuam sentados. De vez em quando Roberto olha dissimuladamente para Marie. Sente vontade de passar a língua nos dentes dela.

Marie tira os tomates da panela. Ursula levanta-se para descascar os tomates. Marie apanha no armário uma caixa de molho de tomate e uma lata de massa de tomate. As mulheres põem numa panela os tomates descascados, com a massa e o molho de tomate e alho e cebola descascada. As duas mulheres são altas.

"Posso ajudar?"

"Amassa os tomates na panela", diz Marie.

Roberto amassa os tomates cozidos.

"Põe uma lata de atum nesse molho", diz Ursula.

"Atum?", diz Marie.

"É, fica bom."

Marie abre uma lata de atum e despeja na panela. Há uns pedaços de tomate que Roberto não consegue amassar. "Aquela parte de cima", ele explica. Também sente que o atum ficou embolotado, mas nada diz.

Afinal o espaguete fica pronto. Marie abre a garrafa de Crianza de Cavas Murviedo que Roberto trouxe.

"Está gostoso", diz Roberto.

"Claro, não é sopa em lata", diz Ursula.

"Eu jamais me apaixonarei por um alemão", disse Marie.

"Nem eu", diz Roberto. Elas riem.

"Meu namorado não era vegetariano e eu o deixei", diz Ursula.

Roberto pensa no atum, mas não está muito certo se atum é ou não comida vegetariana e fica calado. De qualquer maneira ele não quer provocar Ursula.

"Como era ele? O seu antigo namorado?"

"Ele é casado", diz Marie.

"E a mulher dele está grávida", diz Ursula.

"Mulheres grávidas me deixam intranqüilo", diz Roberto.

"Por quê?"

"Não sei. Quando era garoto eu costumava seguir mulheres grávidas na rua. Às vezes chegava pertinho mas não tinha coragem de colocar as mãos na barriga delas. Tinha vontade, estendia a mão mas não tocava no corpo delas."

"Qual é o seu signo?"

"Touro. Mas não acredito nisso."

"Ascendente?"

"Peixes." Ele ri.

"Hum", diz Marie, que faz café expresso numa máquina.

"Uma pessoa com outra dentro da barriga. Podia ser eu, vagando como um peixe num infindável oceano de placenta", diz Roberto.

"Hum", repete Marie. "Eu queria ser bem pequenininha, de cabelos negros e olhos amendoados; e que fossem de qualquer cor escura, só não podiam ser azuis. E queria namorar um homem que ficasse calado me ouvindo enquanto eu falasse."

Ficam em silêncio algum tempo.

"Você não notou nada no meu cabelo?"

"Notei. Você agora está com eles ruivos."

"Quis ficar parecida com Edith. Ruiva como a *Mulher sentada*."

"No *Die Familie* os cabelos dela estão mais escuros."

"Eu sei."

"Mas é um quadro mais sombrio." Roberto relembra o quadro. Schiele e Edith estão nus. A dele, uma nudez angulosa cheia de arestas, se não fosse o rosto, perplexo, pareceria uma nudez de pedra. A carne maternal do corpo de Edith nada tem do despojamento tranqüilo, mas provocante, que as roupas descuidadas não conseguem esconder na *Mulher sentada*. E no quadro *A família*, entre as pernas dela, contrastando com a nudez dos pais, vê-se o menino inteiramente vestido, o olhar perdido em algum ponto, como Edith. "Um quadro sombrio", repete Roberto.

"Fiquei com muita dúvida. Em *Die Frau des Kunstlers* ela está loura. Talvez sejam as reproduções."

"Posso dar o meu telefone para ele?", pergunta Marie.

"Pode", diz Ursula.

Marie escreve o número do telefone num pedaço de papel. Roberto coloca o papel no bolso.

As mulheres lavam pratos e panelas. Roberto fica pensando.

"Tenho que ir", diz Marie depois que arrumaram a cozinha. Elas se beijam no rosto. Marie é um pouco mais alta.

"Obrigada por ter feito a comida. Ela é melhor cozinheira do que eu", diz Ursula.

"Gostei de você", diz Marie apertando a mão de Roberto.

"Quer outro café?", pergunta Ursula, depois que Marie sai.

"Quero. Muito obrigado."

Enquanto tomam café, Ursula pergunta: "Você gostou dela?".

"O Bergman, em sua biografia, conta que, conversando um dia com Erland Josephson, descobriu por que eles eram misantropos."

"Conta para mim."

"Sabe por que nós não gostamos de conhecer novas pessoas?, perguntou Josephson. Não, respondeu Bergman. Porque acabamos gostando delas, disse Josephson."

"Você gostou da Marie?"

"Gostei."

"Muito?"

"Muito."

"Você vai dormir aqui?"

"Não."

"Vamos amanhã jogar nos cavalos?"

"Não posso."

"Ou você prefere ir tomar banho na piscina pública perto da sua casa? Amanhã o banho é nu."

"Não gosto de ver homem nu."

"Mas tem mulheres também."

Ficam em pé, um em frente ao outro. Ursula parece querer dizer algo. Mas não diz; é muito reservada e reflexiva. Gostaria de perguntar qual é o livro que ele levava para a cozinha e punha sobre a mesa. Mas não pergunta. Nem diz mais nada.

"Vou a Budapeste", diz Roberto. "Na volta lhe telefono."

É a primeira quinzena de setembro e faz calor. Verão das mulheres velhas, como se diz na cidade.


## ROBERTO

De Budapeste ele vai para Viena, de carro. Chega de manhã, ainda muito cedo, e passeia na feira de pulgas por entre as quinquilharias dispostas no chão ou sobre tabuleiros, roupas, sapatos, torneiras enferrujadas, cintos partidos, colares de vidro, vitrola portátil sem o prato, moedor de carne pré-histórico, o busto de um manequim ainda com alfinetes espetados, máscara de mergulho com o vidro partido, um selim de bicicleta. Lembra-se de ter ido à feira na cidade de Ursula, na Tempelhofer Ufer, onde os poloneses e os turcos colocam no chão de terra a mercadoria ordinária que oferecem à venda; recorda os poloneses caminhando pela Beneburger Strasse, gordos, esperançosos, carregando suas sacas atulhadas com os restos sem valor que não haviam ainda sido vendidos.

Nesta outra feira onde ele agora está os vendedores são iranianos, turcos, poloneses, indianos. Os possíveis compradores são pessoas de todos os níveis sociais, muitos residentes da cidade, outros, turistas com máquinas fotográficas. Há muita gente na feira, é difícil andar no meio das mercadorias oferecidas. Roberto vê num tabuleiro um relógio velho, de mesa, sem ponteiros, só a carcaça, provavelmente sem mecanismo no seu interior. Junto ao relógio uma carta fechada, um envelope branco acinzentado pelo tempo. No envelope, um selo marrom com um desenho do Hindenburg, de perfil. Nos cantos do selo, na parte superior, dos dois lados, o número 3 carimbado. Marcos? Sob a figura do chanceler, os dizeres *Deutches Reich*, em letras góticas. Ainda outros dois carimbos: um deles, sob o selo, diz *Vergis nicht Strasse und Hausnummer anzugeben*. O outro carimbo, sobre o selo: *Berlin NW7 17.2.36-20.*

Fevereiro de 1936. A carta é dirigida a Jean Gasch, ou Gaesch, Wien, Hotel Pan. O remetente não seguiu a determinação dos correios. Nem rua nem número estão escritos no envelope.

Roberto não esperava encontrar, numa feira de pulgas, uma carta fechada e selada que certamente não foi entregue ao destinatário. Uma compulsão súbita o domina. Tem que possuir aquela carta. A vendedora, uma mulher de nacionalidade indefinida, quando Roberto pergunta quanto quer pela carta, o encara com olhos muito abertos e ele repete a pergunta. Então percebe que ela é surda-muda. Isso aumenta ainda mais seu interesse em obter a carta. Repete a pergunta, formando as sílabas com os lábios. A mulher dá de ombros, um gesto que talvez signifique que ela não quer vender a carta.

Espremido entre as pessoas que passam de um lado para o outro, empurrando-o, Roberto consegue tirar a carteira de notas do bolso e verifica quanto dinheiro tem na carteira. Três mil shillings. Suficiente para comprar metade de todos os sapatos e roupas velhas amontoados sobre os tabuleiros da feira.

"Desculpe", diz para a surda-muda, "tenho que ter esta carta." Estende a carteira para ela. A mulher, depois de olhar fixamente para o rosto de Roberto, com um olhar onde ele vê, inquieto, algo mais que a vigilância atenta dos surdos-mudos, pega a carteira e folheia as notas lentamente. Em seguida a mulher tira uma nota de dez shillings e devolve a carteira com todo o resto do dinheiro, junto com a carta; mas antes de lhe dar a carta faz com a mão um gesto enfático, quase desesperado, uma advertência, que significa não. Não? Não, o quê?

Ele pega a carteira e a carta, sentindo uma espécie de medo e se afasta apressado, empurrando e sendo empurrado pelas pessoas que o apertam de todos os lados.

Com a carta no bolso, subitamente pensa em Edith. Precisa ir ver o Schiele, mais exatamente a mulher dele. Pressente que há uma estranha conexão entre Schiele e a carta.

Chega ao Belvedere e nem olha os jardins que tanto impressionaram Canaletto. Sobe as escadas do antigo palácio correndo, para ver a mulher. Não é a primeira vez que vê aquele rosto resignado e cheio de compaixão, o corpo curvado com as mãos entre os joelhos. Mas, agora, pensa ver, no olhar da mulher, alguma coisa que nunca notou anteriormente: a figura invisível de Schiele. Não há dúvida de que ela está olhando para o marido — ansiando para que tudo termine logo. E tudo vai mesmo terminar imediatamente, naquele 1918. Mas Roberto agora sabe que existe algo que liga tudo o que aconteceu à carta. Tira a carta do bolso, com mãos trêmulas. Mas não tem coragem de abri-la.

O resto do dia faz perguntas pela cidade. Descobre que o Hotel Pan foi fechado depois da guerra. Durante algum tempo serviu de bordel para oficiais dos exércitos de ocupação. Agora é um prédio residencial. Certamente os registros de hóspedes foram destruídos.

Posta-se na frente do prédio algum tempo, sentindo-se impotente, perdido. Depois vai para o aeroporto e pega um avião de volta.

## OUTRO DIÁLOGO A TRÊS

Ursula, Marie e Roberto estão novamente comendo espaguete. Roberto está com a carta endereçada a Jean Gasch ou Gaesch no bolso. Ele não consegue se separar da carta.

"Olha bem para ela e vê de quem é que você gosta mesmo", diz Ursula.

Roberto olha demoradamente o rosto de Marie.

"Então?", pergunta Ursula.

Marie permanece calada, comendo cuidadosamente, não quer interferir na conversa.

"Gosto dos dentes de Marie", diz Roberto.

"Dos dentes dela?", diz Ursula. "Mostra os dentes, Marie."

Marie engole o espaguete que tem na boca. Levanta-se, vai até a pia, enche um copo de água, bochecha, cospe. Volta a sentar-se e abre bem os lábios, mostrando os dentes.

"O que têm os dentes dela? Ela é meio dentuça. Desculpe, Marie", diz Ursula.

"Sinto vontade de lamber os dentes dela", diz Roberto. "Ser dentuça acho que ajuda."

"Por mim pode lamber", diz Ursula.

"Posso lamber?", pergunta Roberto.

"Você é que sabe", diz Marie. Abre a boca, distende os lábios, os dentes aparecem.

Roberto curva-se sobre a mesa da cozinha e cuidadosamente lambe, com a ponta da língua, os dentes incisivos de Marie.

"O que você está sentindo?", pergunta Ursula.

"Ainda não sei", diz Roberto.

"E você? O que está sentindo?"

"Também ainda não sei", diz Marie. "Foi tudo muito de repente. Com o tempo acho que vou gostar."

"Vocês querem ficar sozinhos? Posso ir à biblioteca, ler um livro, fazer uma pesquisa", diz Ursula.

"Hoje não. Tenho que ter certeza, primeiro", diz Marie.

Acabam de jantar.

"Tenho que ir", diz Roberto, "estou procurando um sujeito chamado Husack. Ele talvez já esteja morto."

"Vou telefonar para você", diz Marie.

O verão das mulheres velhas acabou de repente. Chove e faz frio. Roberto não encontrou, em Viena, o destinatário da carta que tem no bolso; está na hora de encontrar o remetente. Lê, no verso da carta, escrito com letras de quem aprendeu a arte da caligrafia, o endereço e o nome do remetente, W. Husack.

Entra no prédio velho, que escapou da destruição durante a guerra, e vê-se num pátio cercado de altos edifícios com as janelas fechadas, um prédio junto do outro, formando um quadrilátero fechado. No centro do pátio, entre arbustos, num pedestal de bronze, uma escultura de dois metros de altura, uma mulher que parece ter dezoito anos, vestida com um manto azul drapejado. Ela está dando um passo à frente, o que desnuda, até um pouco acima do joelho, sua perna bem torneada; uma jovem de seios pequenos e rosto rubicundo, mas não querubínico; uma coroa de louros prende seus cabelos; das costas saem-lhe duas asas brancas e ela segura alguma coisa, apoiada sobre o ombro, que Roberto não identifica.

"Quem é?", pergunta ele, apontando a estátua a um menino que aparece numa bicicleta.

"A santa de Schöneberg", diz o menino, que volta a pedalar sua bicicleta e desaparece.

Roberto dirige-se para a grande porta de madeira de um dos edifícios, só pode ser aquela, e nota, com o coração batendo furiosamente, que, no painel, com os nomes de moradores desenhados em letras góticas, há um Husack. Apenas Husack, sem nenhuma outra letra.

Enfia a mão no bolso, sente a carta, sem coragem de tirá-la do bolso. Lembra-se do Schiele, junto com a mulher e o filho. Teria consciência, o menino, do que aconteceria naquele 1918? "Por que Schiele?", murmura ofegante, entre os dentes.

Toca a campainha.

"Sim", diz uma voz, que ele não sabe se é de homem ou de mulher.

"Husack?"

Silêncio. Espera algum tempo. A porta não é aberta. Deve tocar novamente?

É melhor ir embora. Afasta-se alguns passos. Então percebe que continua com uma das mãos dentro do bolso, segurando a carta, que parece arder como um carvão em brasa.

Novamente toca a campainha.

"Sim?", a mesma voz.

"Tenho uma carta para Husack." Acrescenta, com dificuldade, a voz trêmula: "Uma carta que ele escreveu em 1936 para Jean Gasch ou Gaesch".

Diz isso e encosta-se na grande porta, suando apesar do frio, o coração batendo na sua garganta.

"Espere aí embaixo", diz a voz.

Como será Husack? A carta foi escrita há cinqüenta e três anos. A voz parece a de um homem muito jovem para ser Husack.

Um homem abre a porta e olha com astúcia e acinte para Roberto, como que procurando saber pelas roupas quem ele é e, pelo rosto, o que ele quer.

"Onde está a carta?", diz o homem.

"Você é Husack?"

O homem dá uma espécie de grunhido: "Meu nome é Schlüter".

"Só entrego a carta ao próprio Husack."

"Espere."

Schlüter fecha a porta com um forte estrondo, como acontece com as portas muito grandes.

Roberto treme de frio. Tira um lenço de papel do bolso e limpa a umidade que sai do seu nariz.

Novamente Schlüter surge no hall. Abre inteiramente a porta.

"Venha comigo."

Sobem por uma velha escada. Schlüter, à frente, galga as escadas rapidamente e logo desaparece, apenas seus passos são ouvidos.

Um súbito cansaço faz Roberto parar no meio das escadas, ofegante. Que diabo está acontecendo? Ele costuma correr quilômetros sem se cansar.

Ouve os passos de Schlüter, descendo as escadas.

Alguns degraus acima, Schlüter observa, impassível, o outro homem sentado, respirando com dificuldade.

"Faltam apenas dois lances de escada", diz Schlüter.

Com esforço Roberto levanta-se e segue Schlüter.

Afinal param em frente a uma porta alta de madeira, aberta. Entram.

Numa sala em penumbra, cheia de móveis escuros e quadros ainda mais escuros nas paredes forradas de papel vermelho-escuro, um homem muito velho, de enorme calva pálida, vestido com um casacão cinzento, sentado numa cadeira de rodas atrás da qual está uma mulher loura em pé, diz, numa voz triste: "Eu sou Husack. Você tem a carta?".

"Tenho."

"Ah! Finalmente!", diz Husack. Faz um gesto quase imperceptível e nas mãos da mulher aparece uma pasta preta de couro brilhante que ela coloca no colo do velho.

Roberto tira a carta do bolso e a entrega a Husack, que a segura com mãos trêmulas. A mulher tira gentilmente a carta das suas mãos e examina-a.

"Não creio que tenha sido aberta. Quanto você quer por ela?", diz a mulher.

"Dez shillings."

"Dez shillings?"

Husack, Schlüter e a mulher se entreolham, surpresos.

"Dez shillings ou esse valor em qualquer outra moeda. Mas quero que me responda a uma pergunta."

"Pergunte", murmura Husack.

"A carta tem alguma coisa a ver com Schiele?"

"Sim, sim, você sabe que sim!" Husack curva o corpo como se esvaziado e estripado subitamente de suas vísceras, encosta o rosto nos joelhos. "O que você sabe sobre Schiele? Meu Deus, quando poderei esquecer o passado?", murmura, com palavras quase inaudíveis.

"É melhor fazermos logo o que temos de fazer, senhor", diz Schlüter, respeitosamente.

"Senhor", diz a mulher que segura a cadeira de rodas, "não podemos perder tempo."

A sala escurece sem parar, lentamente.

"E eu? O que tenho a ver com isto tudo?", pergunta Roberto.

"Seu tolo, você não sabe?", diz a mulher.

"Ele sabe", diz Husack tristemente.

Neste instante, Schlüter, num movimento rápido, passa um cordão grosso em volta do pescoço de Roberto. Os dois começaram a lutar. Em busca de ar, Roberto cambaleia em direção à luz rósea-violeta que entra pela janela. A madeira velha e os vidros cedem com estrépito.

Schlüter é arrastado com Roberto na queda. Os prédios em torno da santa de Schöneberg pareceram rodar. A santa também gira, se aproxima rapidamente, e se apaga.

*O LIVRO DE PANEGÍRICOS*

*One can either see or be seen.*

John Updike, *Self-conciousness*

Não encontro a notícia que me interessa, no jornal. Mas um anúncio procurando enfermeiro com boas referências, para tomar conta de um velho doente, pode ser uma solução, ainda que provisória, para o meu problema.

Uma mulher abre a porta do apartamento na avenida Delfim Moreira e eu digo que vim pelo anúncio. Ela me manda entrar. Um salão enorme. As janelas estão abertas e pode-se ver o mar lá fora, muito azul. Grandes merdas. Um homem está na janela e se vira quando entro. Vem em minha direção.

"É para cuidar do meu pai. O senhor tem referências?"

Não tenho referências. Há mais de vinte anos, quando era um menino, tomei conta de um velho doente e na casa dele li dezenas de livros e tive minha iniciação sexual com uma boneca de vinil chamada Gretchen. Mas eu só empurrava a cadeira de rodas e limpava o cocô. "Tenho sim, boas referências", digo.

"Muito bem." O homem olha para o relógio. Diz quanto vai me pagar por mês; pergunta se posso começar hoje mesmo, que me paga um bônus; que vai viajar à noite e tem pressa.

A mulher também tem pressa.

"Não tenho minhas roupas", digo.

"O que não falta nesta casa são roupas. Abra os armários e pegue as que você quiser. Aqui neste papel estão os endereços e os telefones do médico assistente do meu pai e do nosso advogado. Se necessário liga para o médico, mas não vai acontecer

97

nada, meu pai tem uma saúde de ferro. Os outros problemas, dinheiro ou lá o que for, fala com o advogado. Tem também o telefone da farmácia e do mercado, é só telefonar, mandar entregar e assinar as contas. Neste outro papel está o que você tem que fazer, como enfermeiro. Não é muito complicado. A cada três dias terá um de folga, nesse dia uma enfermeira vem substituí-lo. Aí você vai até sua casa e pega as roupas. Bem, acho que está tudo esclarecido. Alguma dúvida?"

"Não." Quero me ver livre dele tanto quanto ele quer se ver livre do velho.

"Ah, já ia me esquecendo, o nome do meu pai é Baglioni. Doutor Baglioni. Vamos lá, ao quarto dele."

Andamos por um longo corredor até o quarto do velho. Ele está deitado numa cama.

"Papai, esse aqui é o seu novo amigo, o..., como é seu nome?"

"José."

"O José. Ele vai tomar conta do senhor..."

O velho tem a cabeça branca. Olha para mim. Resmunga que não gosta que tragam pessoas ao seu quarto quando ele está sem a dentadura.

"Ele não é qualquer pessoa, papai, é o José."

O velho põe a dentadura. Olha para mim. O homem se curva e dá um beijo na testa do velho. A mulher faz a mesma coisa.

Na porta o homem me dá um maço de dinheiro. "Três meses adiantados. E o bônus. Alguma dúvida?"

"Não."

A mulher suspira. Os dois, o homem e a mulher, olham para seus relógios. Esqueceram de pedir minhas referências, não querem perder mais tempo, vão viajar e devem estar atrasados. Vou até a porta com eles.

"Esta chave é a da porta. A vermelha é do cofre. No cofre ficam os remédios."

Saem.

Leio as instruções. O cofre, pesado, quadrado, de aço polido, fica na copa. Abro o cofre, só vejo remédio dentro dele. Dou uma volta pelos vários cômodos da casa. Abro os armários de roupa. Todas as janelas estão gradeadas. Os caras moram num terceiro andar e põem grades na janela. Medo do homem-aranha. Uma das salas tem as quatro paredes ocupadas por estantes cheias de livros até o teto. Grandes merdas. A casa do velho do Flamengo também estava abarrotada de livros que me deixaram deslumbrado, mas isso foi naquele tempo, eu era um menino. A cozinha é espaçosa, com um enorme fogão elétrico, forno de microondas, liquidificadores, espremedores de frutas, geladeiras e freezers cheios de caixas de plástico etiquetadas e armários repletos de latas e caixas de comida. Mas de acordo com as instruções, para jantar o velho toma uma sopa de legumes e come um pouco de gelatina. Além da comida, que está pronta no freezer, devo dar a ele um comprimido de Pankreoflat, um de Ticlid e um de Lexotan, 6 mg. Lexotan eu sei para que serve; como são muitas as caixas no armário, de vez em quando vou tomar um. Ticlid. Abro a caixa e leio a bula. Gosto muito de ler bula de remédio. Ticlid é "um potente antitrombótico contendo como componente ativo uma nova e original substância, o cloridrato de ticlopina. Indicado em todos os casos que requerem uma redução da agregação e da adesividade plaquetária". Pankreoflat tem "como componentes ativos Pancreatina triplex e dimetilpolissiloxan altamente ativado mediante processo especial".

Oito horas. Já esquentei a sopa. Tiro o velho da cama e o sento na poltrona.

"Está na hora de tomar a sopa."

"Não quero sopa." Ele está com todos os dentes, em cima e embaixo.

"Então come a gelatina."

"Não quero gelatina."

Não quer — não quer, tudo bem. Mas eu o obrigo a tomar os remédios. Deve estar nervoso neste nosso primeiro dia, mas o Lexotan vai reduzir a tensão e a ansiedade dele.

Levanto o velho da poltrona sem esforço. Em vez de estar feliz no meu colo ele me olha como se me odiasse. Na cama, conforme as instruções, visto um fraldão descartável nele, que tenta impedir que eu faça isso, mas é fraco, sua resistência é muito pequena.

"Você sabe quem eu sou?", pergunta ele.

"Sei, doutor Baglioni, não se preocupe."

Puxo o fio com o botão da campainha e ponho ao lado na cama, junto com o controle remoto da TV, conforme as instruções. "Qualquer coisa, toca a campainha."

Ponho a louça na máquina. Apanho presunto na geladeira e faço um sanduíche.

Meu quarto é confortável, com um pequeno banheiro, televisão e uma estante de livros. Se fosse antigamente eu examinaria livro por livro para ver se algum me interessaria, mas nem olho para a estante. O jornal da TV não dá a notícia que me interessa. O velho não me chama durante a noite; o Lexotan deve ter funcionado.

Vejo o último jornal da noite. Nada.

Ando pela casa. Entro na biblioteca, mas não leio nenhum livro. Tomo um Lexotan do velho, mas mesmo assim não consigo dormir. Sou duro na queda.

Às sete horas da manhã vou ver o velho. Ele já está acordado. Sigo as instruções. Primeiro lavo os olhos dele com água boricada. Depois tiro o fraldão que está sujo de merda e urina. Limpo o velho com uma esponja, sentindo um nojo muito grande. Visto um pijama nele.

"Vou trazer seu chá com torradas."

Um jornal havia sido enfiado por baixo da porta da cozinha. Abro o jornal mas não encontro a notícia que procuro.

Ponho um pouco de leite no chá. Ele toma uma xícara e come uma torrada. Dou a ele um comprimido de Adalat retard, "20 mg de nifedipina", e outro de Tagamet, "carboximetil-amido, hidroxipropil-metil-celulose". Depois transfiro o velho da cama para a poltrona, ligo a televisão. Desenhos animados. "Qualquer coisa, toca a campainha."

Releio o jornal. Nada. Pego o telefone. É preciso cuidado. Volto ao quarto do velho. Há uma extensão sobre a mesa de cabeceira. Finjo que estou arrumando a mesa e arranco o fio do telefone da caixinha da parede. O velho me olha pensativo, talvez tenha percebido o que fiz.

Ligo do telefone da sala. Ninguém atende. Ouço uma linha cruzada. "Puseram vidro moído no meu borscht." Desligo, preocupado. Linhas cruzadas me deixam nervoso. Vidro moído no borscht? Um código? As pessoas espertas falam em código pelo telefone. Devia ter ficado ouvindo. Tento novamente e ninguém atende.

Ouço a campainha do velho.

"Tenho uma proposta", ele diz.

Sempre que alguém me fez uma proposta eram grandes merdas. "Não posso ouvir propostas suas."

"Abre aquele armário", diz o velho.

O armário está cheio de caixas de charutos, cubanos, americanos, jamaicanos, holandeses, brasileiros. "Eu não fumo", digo.

"Tem uma caixa de charutos Empire, não tem? Uma caixa grande. Abre a caixa."

A caixa está cheia de charutos, grandes e grossos como cassetetes da polícia.

"Então?", diz o velho.

"Eu não fumo. E se fosse fumar não fumaria um desses."

"Essa caixa não, a outra."

A outra caixa está cheia de notas de cem dólares. Grandes merdas.

"Não estou interessado em proposta nenhuma", digo. Ponho a caixa no lugar onde estava e fecho a porta do armário.

O velho tenta agarrar o meu braço. "Ouça, imbecil", ele diz.

"Sinto muito. Qualquer coisa, toca a campainha."

Novamente ligo do telefone da sala. Quem eu quero não atende.

"Puseram vidro moído no meu Porsche." É a linha cruzada. Porsche? Borscht? Maldito código. Bosch? Desligo.

Hora do almoço. Sopa e mamão, tirados do freezer. Triclid e Pankreoflat.

"Você nunca vai ser ninguém na vida", ele diz.

Durante três dias e três noites cuido do velho. Ele cada vez fala mais.

"Sabe quando descobri que estava velho? Quando começaram a cair os pentelhos e a nascer mais cabelos dentro do nariz", me diz enquanto passo uma esponja nos colhões dele.

Os telefonemas que faço não são atendidos. Depois da terceira linha cruzada, paro de ligar. Nem os jornais nem a televisão dão a notícia que espero.

No quarto dia chega a enfermeira que vai me substituir. Somos mais ou menos da mesma idade.

"Então o Van sumiu?", ela diz.

"Que Van?"

"O Vanderley, o enfermeiro."

"Não sei de nada."

"Quando o Van desapareceu eles quiseram que eu viesse assumir mas eu disse que não podia deixar o plantão do hospital. Eles sabem que eu trabalho no hospital."

No apartamento tem outro quarto só para ela. Entra no quarto e surge em pouco tempo vestida num uniforme branco e limpo, com touca branca, sapatos e meias brancos. Do seu corpo sai um perfume agradável.

"O doutor Baglioni está bem?"

"Está."

"Você estudou onde?

"Não é da sua conta", respondo.

"Vê se chega amanhã na hora certa. Tenho que pegar às nove horas no hospital."

"Não se preocupe."

"O Van se atrasava sempre."

"Eu não me atraso nunca."

"Essa roupa é sua?"

Estou com uma camisa e uma calça, que fica curta pelas canelas, que apanhei em um armário qualquer da casa.

"O cara disse para eu pegar a roupa que quisesse. Não tive tempo de ir em casa. O culpado é o Van, por ter sumido."

"Meu nome é Lou."

"Lou?"

"Lourdes. E o seu?"

"José." Lembrei-me do velho do Flamengo e de sua cadeira de rodas. "Por que não tem uma cadeira de rodas aqui?"

"O filho do doutor Baglioni não quer."

"Por que os remédios estão no cofre?"

"É para o doutor Baglioni não se matar."

"Ele nem consegue andar sozinho."

"Antes de partir o fêmur ele podia."

"Então as grades na janela..."

"Isso foi há muito tempo, quando ele tentou pela primeira vez."

Saio. Procuro o porteiro. "Trabalho com o doutor Baglioni, do terceiro andar. Onde é a caixa do telefone?"

"Pra quê?"

"O telefone está com defeito e eu quero ver."

"O senhor é um técnico?"

"Me mostra onde está a caixa."

Ele me leva até a uma porta de madeira. "É aqui. Mas eu não tenho a chave."

"É melhor arranjar logo senão eu arrebento essa merda."

Ele sabe que eu não estou brincando. As pessoas sempre sabem quando não estou brincando. Ele me dá a chave.

"Pode ir que depois eu fecho."

É fácil identificar os fios do apartamento do dr. Baglioni. O edifício tem apenas um apartamento por andar. Nenhum dos telefones está grampeado, ali na caixa. Mas tem outros lugares onde isso pode ser feito. É foda.

Devolvo a chave para o porteiro. Pego um táxi. Levo no bolso o maço de dinheiro que me deram. O outro bolso está pesado de fichas de telefone. Já decidi o hotel para onde vou, um que fica na rua Buarque de Macedo, no Flamengo. Nunca estive lá. Não fico duas vezes no mesmo hotel. No caminho compro uma pequena mala, seis cuecas, seis camisas, uma calça, creme de barbear e gilete.

Um hotel ordinário, sem telefone no quarto, mas isso não me incomoda, telefone no quarto de hotel é perigoso, o telefonista se distrai ouvindo a conversa dos hóspedes. Fecho as cortinas do quarto e deito, depois de tirar os sapatos. Passo o dia deitado na cama.

De noite saio, para telefonar de um orelhão. Ninguém atende. Compro um sanduíche de queijo e uma lata de Coca-Cola e volto para o hotel. Sento na única cadeira do quarto. Espero sentir fome para comer o sanduíche e beber a Coca-Cola.

Pelas frestas da cortina começa a entrar a luz do dia. Tomo banho e faço a barba. Pago o hotel e saio. Pego um táxi.

Tento abrir a porta do apartamento do velho e não consigo. Um ferrolho prende a porta pelo lado de dentro. Toco a campainha. Lou abre a porta do apartamento. O uniforme de Lou não tem uma ruga. Ou ficou de pé a noite inteira ou vestiu um uniforme novo. Sinto o perfume, do uniforme e do corpo dela.

"Já dei a ele o leite, o Adalat e o Tagamet. Dei banho nele, botei perfume, fiz a barba e cortei os cabelinhos do nariz. Você não botou perfume nele."

"Não está nas instruções que o cara me deu."

"Você tem que cortar os cabelinhos do nariz dele, os cabelinhos crescem muito e ele não gosta dos cabelinhos no nariz."

"Não está nas instruções."

"De tarde você não deu leite com Meritene a ele. E não se esqueça do Seloken."

Está nas instruções. Seloken, inibidor dos receptores adrenérgicos localizados principalmente no coração. "Escapou. Como é que você sabe que eu não dei isso a ele?"

"Sabendo."

Ela entra no seu quarto, troca de roupa. Jeans, tênis, camiseta Hering, bolsa a tiracolo.

"Onde está seu uniforme?"

"Eu disse ao cara que não ia usar uniforme. Olha, não se meta na minha vida."

"É anti-higiênico trabalhar sem uniforme. Outra coisa. Foi você quem arrancou o fio do telefone do quarto?"

"Fui. Para que aquele telefone? Só serve para incomodar o velho."

"Talvez você tenha razão", diz ela, antes de sair.

"Bom dia", digo para o velho na poltrona, vestido com um pijama listado. Sinto o cheiro do perfume.

"Há uma planta no deserto da Namíbia que vive mil anos alimentando-se apenas do orvalho da manhã", ele diz.

Grandes merdas. Ligo a televisão. "Qualquer coisa, toca a campainha."

Telefono da sala. Ninguém atende. Desta vez não tem linha cruzada, ou eles estão quietos, para ouvir o que os outros dizem.

A campainha toca.

"Sim?"

"Desliga a televisão e me põe na cama. Estou cansado."

Ele está na cama, estendido, de pernas cruzadas.

"Abre a gaveta. Apanha o livro aí dentro."

O livro, de capa dura, tem o retrato dele na capa, vinte anos mais moço.

"Gostar tanto dos livros quanto das mulheres não é um indício terrível?"

Dou o livro a ele. "Qualquer coisa, toca a campainha."

"Espera. Sabe quando descobri que estava velho? Quando passei a gostar mais de comer do que de foder. Esse é um indício terrível, pior do que os cabelos crescendo no nariz. Agora não gosto nem de comer", ele diz.

"Eu também não gosto de comer. Qualquer coisa, toca a campainha."

"Leia este livro", ele diz.

Pego o livro com o retrato dele na capa. "Qualquer coisa, toca a campainha", repito.

Leio o livro, no meu quarto. É uma série de depoimentos sobre o velho, de amigos, colegas de profissão, figurões dizendo que homem formidável ele foi. Todos falam as mesmas coisas sobre a inteligência, a generosidade, a cultura, a espírito público do dr. Baglioni.

Na hora do almoço o velho não me fala sobre o livro. De tarde dou a ele o Meritene com leite. No jantar ele me pergunta se li o livro.

"Li."

"Então?"

"Então o quê?"

"Quero sua opinião."

"Achei uma merda. Um monte de baboseiras."

"Eu ia morrer e os meus amigos resolveram publicar o livro. A culpa foi minha." Tirou os dentes. Já tomava intimidades comigo. "Estou com sono. Depois me lembra de falar sobre isso. Não se esqueça. Quero lhe falar sobre isso."

Ponho ele na cama. Estendido de pernas cruzadas.

Ligo do telefone da sala. Até que enfim atendem.

"Sou eu", digo.

"Onde foi que você se meteu?"

"Não posso dizer. Olha —"

"Eles seguem o brilho do relâmpago." Puta merda, é a linha cruzada.

"Tem uma linha cruzada. Vou desligar."

"Diga onde você está que eu ligo de volta. Vou ter que sair."

"Eles esperam pelo arco-íris." A merda da linha cruzada.

"Deixa que eu ligo." Bato o telefone e vou ao quarto do velho. Está dormindo. Se eu sair durante dez minutos ele não vai acordar nesse tempo.

Do orelhão da rua ligo novamente. Toca e ninguém atende.

Estou no meu quarto, de volta.

Será mesmo uma linha cruzada? As palavras são em código. A voz do relâmpago parecia a do borscht porsche bosch, mas talvez não fosse. Bem, eu não tenho pressa. Ninguém sabe onde estou. Tomo um Lexotan do velho.

No dia seguinte, depois de limpar as partes do velho e de lavar os olhos dele com água boricada, e de dar a ele chá com leite e torradas, o Adalat e o Tagamet:

"Você já imaginou como se sente um sujeito que planeja um livro de panegíricos para ser publicado depois da sua morte e que afinal não morre?".

"Qual o problema?"

"Enquanto agonizava, um amigo apressado distribuiu os dois mil exemplares do livro, que não me mostraram porque eu estava morrendo, dizendo que grande perda foi minha morte e me enchendo de elogios. Mesmo se o livro fosse bom, o que não é o caso, eu teria que ficar constrangido. Eu não morri, entendeu?"

"Entendi. O senhor foi mesmo o maior advogado brasileiro?"

"Essa é outra idiotice do livro. Ninguém é maior em nada. Eu era um advogado que sabia ganhar muito dinheiro, numa época em que os economistas não tinham ainda assumido o poder."

"Existem coisas piores do que ter um livro idiota escrito a nosso respeito."

"Sim, sim, existem. Por exemplo, o esperma do sujeito ficar fininho como água. Mas não consigo deixar de me lembrar desse livro ridículo. Mais da metade dos livros foram parar nos sebos. Mandei um amigo comprar todos de volta, o que me custou uma ninharia, estavam encalhados. Destruí todos aqueles em que consegui botar a mão. Mas há outros, espalhados pelo mundo."

A voz dele está ofegante.

"Depois o senhor me conta o resto."

"Você vai ouvir, não vai? Você me parece um sujeito inteligente. Para um enfermeiro."

"Amanhã. Agora descansa."

Depois do café, depois do almoço e depois do jantar, sempre nessas ocasiões, ele me pega para falar da sua vida. Divaga um pouco, mas é fácil seguir o que diz, basta uma pequena arrumação.

As dores de cabeça surgiram de um dia para o outro. Tão fortes que os analgésicos comuns não conseguiam aliviar. Os médicos que o examinaram fizeram o diagnóstico e sugeriram que ele obtivesse outras opiniões. No exterior confirmaram a doença. O velho tinha seis meses de vida, um pouco mais, um pouco menos.

O maior medo dele sempre foi morrer subitamente sem poder rasgar os papéis que deviam ser destruídos, sem premiar quem devia ser premiado ou punir quem devia ser punido; sem poder dispor dos seus bens da maneira que considerava justa. Saber que tinha seis meses de vida foi uma espécie de consolo. Confessou-se com um padre amigo e foi absolvido dos seus pecados. Ele professava uma boa e compassiva religião que dava a todos uma oportunidade de salvação até o último instante. Sempre tivera uma grande capacidade de sofrer humilhações, de suportar injúrias, de enfrentar e vencer obstáculos. Depois que se vingava daqueles que o haviam ofendido, da maneira mais absoluta e plena possível, e sempre se vingava, ele se dava ao luxo de perdoar. O perdão depois da vingança. Assim, entre suas últimas disposições a retaliação ocupava um lugar importante. Sim, a desforra era um pecado, mas no último momento ele se arrependeria e seria perdoado. O padre lhe dissera que o arrependimento não tinha hora certa para entrar no coração dos homens, desde que fosse verdadeiro. O velho sabia que se arrependeria genuinamente depois de aniquilar seus inimigos e que morreria redimido, em condições de enfrentar o que viesse depois da morte.

No ano anterior, antes do diagnóstico médico, fora eleito homem do ano por uma importante revista semanal e confidenciara a seu velho amigo Sampaio, que junto com ele fundara o maior escritório de advocacia do país, que gostaria de parar para escrever sua biografia. Ele começava a sentir que estava velho e gostaria que a posteridade não o esquecesse. Sampaio dissera que isso podia ficar para mais tarde, havia muito o que fazer no escritório. E acrescentara, certamente com razão, que a vida do velho não tinha material para uma biografia que pudesse interessar aos outros. O tal Sampaio sabia que existe muita gente que acha que a sua vida é muito interessante, mas não é. Outros acham que a vida deles é uma merda, e é.

Lou chega quando o velho está sentado na poltrona contando sua vida. Eu não tranco a porta com ferrolho e ela entra e nos surpreende conversando. Ao vê-la, a cara de velho se alegra. Ele parece ficar na dúvida, entre ter a companhia dela ou a minha, agora que me tornei um espécie de confidente. Lou diz que vai vestir o uniforme. Vou atrás dela.

"Qual o assunto que deixou o doutor Baglioni tão empolgado?"

"A vida dele."

"É mesmo? Ora vejam."

Entra no quarto.

Volta brilhando, engomadinha, perfumada.

"Vou tomar um banho", digo.

Está na porta do meu quarto, quando saio.

"Você tomou algum Lexotan?"

"Tomei."

"Hum."

"Vou dar um telefonema antes de sair."

Desta vez a campainha do telefone toca duas vezes apenas e atendem. É uma voz estranha.

"Quem fala?", pergunto.

"Quer falar com quem?"

Meu ouvido lateja. Sempre que me sinto em perigo meu ouvido lateja. Desligo o telefone, sem saber o que fazer.

"Você se incomoda se eu dormir aqui hoje, durante o seu turno?"

"Se você não se meter no meu trabalho...", ela diz.

Fico no meu quarto, deitado. Lá fora está ficando cada vez mais perigoso.

Lou bate na porta. "Quer jantar alguma coisa?", pergunta do lado de fora. O dia passou rápido.

"Não, obrigado", grito de dentro.

"Eu trago para você."

"Estou sem fome. Obrigado."

Lou bate na porta. "Quer tomar café?" A noite passou rápido. "Já vou", grito.

"Você dormiu vestido?", pergunta Lou, à mesa do café.

"Não tenho pijama."

"Nem uniforme."

"Você é casada?"

"Por que quer saber?"

"Estava pensando no seu marido."

"Não tenho marido."

"Sujeito de sorte. Esse que não casou com você."

"Engraçadinho. E você, é casado?"

"Fui casado com a Gretchen."

Lou ajeita os cabelos por baixo da touca de enfermeira.

Tem muitas coisas na mesa. Tomo chá com leite e torradas.

"Está fazendo a mesma dieta que o doutor Baglioni?"

"Não sinto fome de manhã."

"Você está muito magro. Vão pensar que você está com AIDS."

"Eu estou."

"Essa brincadeira não tem graça."

"Obrigado pelo chá." Tenho vontade de perguntar qual o perfume que Lou usa, mas saio da mesa. A campainha do velho toca.

Ele está barbeado, lavado e perfumado. "A garota já foi embora?"

"Está acabando de tomar café."

"Quando ela for embora você vem aqui. Temos que conversar."

* * *

Sampaio tinha razão. O velho não tinha capacidade para escrever a própria biografia. Fora casado com três mulheres ciumentas e tivera medo de todas, mais da primeira do que da segunda e um pouco menos da última. A hora do almoço era perfeita para ele dar suas escapadas sem que a mulher com quem estava casado desconfiasse; no mínimo duas vezes por semana, durante mais de trinta anos, inventara para a secretária um almoço de negócios para poder se meter na cama com outra mulher sem criar suspeitas.

Sua última mulher era a mais sossegada de todas. Ele sempre se casara com mulheres pobres. Quando do primeiro casamento ele também era pobre, mas no segundo já era um homem muito rico e a mulher era uma jovem suburbana astuciosa e sem escrúpulos. Há homens que não podem ser humilhados, não porque não sintam as humilhações, mas porque consideram-se acima delas. Assim, os vexames a que essa segunda mulher o submetera haviam sido administrados com frieza. Ele deitava-se com ela à noite imaginando a maneira de fazê-la voltar para o ostracismo da pequena classe média de onde a tirara. Fingiu, até quando lhe interessou, que nada sabia dos amantes dessa sua mulher e até mesmo se divertiu com o último deles, um gigolô que se dizia metopomancista, chamado José de Arimatéia, provavelmente um nome falso.

"Metopomancista? Que merda é essa?", pergunto.

O velho sabe a razão de se recordar desse indivíduo, entre os vários amantes que conheceu da sua segunda mulher. Arimatéia lhe disse, no dia em que o conheceu, num jantar em sua casa, promovido pela segunda mulher para apresentar o sujeito à sociedade, que não era um cartomante, um quiromante, um charlatão, mas um cientista que estudava o caráter das pessoas pelas linhas da fronte e fazia projeções; que alguns chamavam aquela ciência erradamente de metoposcopia, o que, além de etimologicamente incorreto, lembrava datiloscopia, endoscopia e outras oscopias menos transcendentes. E Arimatéia lhe perguntou se ele, o velho, sabia por que as mulheres eram mais misteriosas do que os homens.

"Sabe o que o charlatão me disse? Que as mulheres são mais misteriosas do que os homens apenas porque escondem as rugas do seu rosto. E o cretino me ensinou uma lição. Eu nunca vi, até me casar, o rosto da minha segunda mulher sem que estivesse coberto por uma elaborada maquiagem, a mesma maquiagem que usava quando foi eleita miss Nova Iguaçu Country Club e que ela acreditava lhe dar o aspecto sutil e niveamente exótico de uma atriz do teatro japonês."

No meio da história o velho tem um ataque de asma. Pego a bomba de Berotex Spray e faço uma aplicação em sua boca. Está nas instruções. Como o ataque não passa, enfio nele dois supositórios de Eufilin infantil. Está nas instruções. Lou me explicou que antigamente havia um Euphyllin com ph e dois ll, um broncodilatador para adultos, mas acabaram com esse remédio e fizeram o Eufilin de grafia simplificada para crianças, mas criança e velho é a mesma coisa.

"Agora descansa um pouco. Qualquer coisa, toca a campainha." Deixo o velho na cama, estendido de costas com as pernas cruzadas.

Lou está vestida com o seu outro uniforme, o de rua, calça jeans, tênis, camiseta Hering, bolsa a tiracolo. Espero ela sair e vou ao quarto do velho. Ele continua na mesma posição, os pés cruzados. Abro o armário, pego a caixa de charutos. Os dólares estão lá.

"Mudou de idéia?", pergunta o velho.

"Não. Vim ver se o dinheiro continuava aqui."

"Ela é honesta. Trata ela bem. Eu preciso mais dela do que de você." A voz do velho ainda não está normal.

"Descansa mais um pouco."

"Quero ir à biblioteca."

"Depois do almoço."

"Quero ir agora."

"Sigo as instruções."

"Pro inferno, as instruções."

"Qualquer coisa, toca a campainha."

Preciso telefonar, mas não pode ser da casa. Vão acabar descobrindo de onde telefono. Tem que ser de um orelhão da rua, mas não posso sair agora, com o velho tendo um ataque de asma.

Ando pela casa. A campainha toca.

"Não quero ficar sozinho", diz o velho.

Sento no sofá do quarto. "Vou ficar aqui, mas o senhor fica calado, está bem?"

Ele fecha os olhos. Abre os olhos, olha para mim. Fecha os olhos. Abre. Fecha. Dorme. Dormindo ele me lembra um cachorro velho que tive quando criança.

Deito no sofá. Sinto o cheiro de Lou, ela deve se deitar ali durante a noite, vigiando o velho, como uma boa enfermeira. Como é que o seu uniforme não fica com uma prega, uma dobra, um vinco, um pequeno amarrotado?

Depois do almoço pego o velho no colo e o levo para a biblioteca. Eu devia fazer o velho caminhar até lá, mas ele tem medo de apoiar no chão a perna que quebrou e na qual colocaram uma prótese de metal, então caminha desengonçado, capenga, parece que vai cair a qualquer momento. Na biblioteca há uma poltrona grande, onde acomodo o velho. Acendo a lâmpada de um abajur alto ao lado da poltrona.

"Pega aquele Macauley, de capa avermelhada", ele diz. "Agora eu só gosto de ler os velhos historiadores. Burckhardt, Gibbon, Mommsen. Leio sem óculos, sabe?"

Acho o livro. Retiro da estante e dou a ele.

"Você consegue ler esta letra pequenininha?"

O livro é escrito em inglês. "Consigo."

"Então leia."

"He was still in his novitiate of infamy", leio.

"Você lê inglês?"

Grandes merdas. "Sou um bom enfermeiro", digo, mas ele não percebe a ironia.

"Macauley está falando de Barère."

"Posso dar uma saidinha rápida?"

"Isso não está nas instruções", diz o velho. "Estou brincando. Pode ir."

"Cinco minutos."

Checo se o cofre com os remédios está bem trancado, cautela nunca é demais. Saio. Ligo do orelhão.

"Onde é que você está?"

"Não interessa", digo.

"Preciso falar com você."

"Fala."

"Você mesmo disse que pelo telefone era perigoso."

"Estou falando de um orelhão."

"Continua sendo perigoso. Vamos nos encontrar."

"Vou pensar. Ligo depois."

"Depois pode ser muito tarde."

Desligo.

Compro o jornal. Nada. Jogo o jornal numa lata de lixo.

O velho está caído no chão, em meio a vários livros.

"Tentei apanhar o Burckhardt na estante e caí. Este livro aqui." Mostra o livro que tem entre as mãos.

Sento o velho na poltrona. Ele me dá o livro. "Quero que você me leia um trecho deste livro."

Pego o livro. "Não leio alemão."

"Ah, ah", diz ele. "Eu leio pra você."

Traduz enquanto lê, sem hesitações. É a história de um general e dos habitantes de uma cidade que o general libertou dos inimigos. Todos os dias eles se reuniam para ver de que maneira podiam premiar o general, mas nunca encontravam uma recompensa digna do grande favor que ele lhes fizera. Finalmente um deles teve uma idéia. Matar o general e então adorá-lo como santo padroeiro da cidade. Foi o que fizeram.

"Entendeu?"

Grandes merdas. Há muito tempo deixei de dar importância para o que se lê nos livros.

"Acho a sua vida mais interessante."

"É mesmo?" Ele joga o livro no chão e retoma, alegremente, sua história.

O metopomancista lhe ensinara uma lição. Assim, ao conhecer sua futura terceira mulher, a primeira coisa que o velho lhe pediu foi para lavar o rosto. E por trás da maquiagem, pois também esta sua mulher se maquiava com perfeição, ele descobriu traços de melancolia, de tristeza e de morte, que haviam feito com que ele gostasse mais dessa do que de todas as outras. Mas continuou tendo aventuras amorosas, eram muito mais excitantes quando estava casado. Talvez por isso tenha casado cedo

*113*

e tenha ficado solteiro tão pouco tempo, entre uma esposa e outra.

Quanto mais dinheiro ganhava, quanto mais poder exercia, maior o seu desejo pelas mulheres. Celebrou, fodendo, as nomeações que conseguiu para cargos de desembargadores e ministros do Supremo, a influência que exerceu nas eleições de todo o tipo que manipulou, até para pleitos mundanos, como os das academias de letras e de medicina. Um dia, em fevereiro, um mês depois de fazer sessenta e nove anos, ao conseguir a nomeação de um ministro cretino que quase derrubou o governo, ele preferiu ir almoçar com um advogado do escritório, desmarcando um encontro com uma bela mulher, que dera muito trabalho para ser convencida a ir para a cama com ele. Já há algum tempo gostava de comer e beber em quantidades cada vez maiores; tentou, inutilmente, impedir o aumento do diâmetro da sua cintura com chás e pílulas homeopáticas e massagens diárias pela manhã, antes de sair para o escritório. A protuberância flácida da sua barriga, a bunda larga e quadrada, os peitos caídos que se não fossem cobertos de pêlos podiam lembrar os de uma mulher velha, o pênis que ficou fino, comprido e mole, cada vez mais parecido a uma tripa congelada e vazia, tudo isso já vinha há algum tempo exigindo dele algumas cautelas nos encontros amorosos. Evitava quartos com espelhos, principalmente no teto: as mulheres quando fornicam em quartos com espelhos no teto ficam sideradas com o reflexo do próprio corpo, mas em certos momentos olham também o do companheiro. Assim, as luzes deviam estar apagadas, a penumbra era o máximo de claridade aceitável no quarto; no ato de tirar e vestir a roupa havia um senso de oportunidade a ser obedecido, um momento certo de tirar a camisa, a calça, a cueca, de entrar na cama e sair da cama; a distância certa entre ele e sua parceira tinha que ser rigorosamente estabelecida, quanto mais de perto melhor. E depois do sexo era preciso impedir que a mulher notasse que sua porra era escassa e rala como leite C aguado. Era necessário deixar a banheira preparada e conduzir logo a mulher para lá, e lavar-lhe a boceta fingindo que isto era um gesto de carinho submisso. Foder demandava uma rigorosa encenação, uma extenuante marcação teatral. Para não falar dos problemas de natureza vária que qualquer mulher que vai para à cama com um homem cria para ele.

Num fevereiro quente e úmido, em vez de procurar novas mulheres, passou a pensar nas que já tivera; ou a imaginar, apenas fantasiar, como seria copular as mulheres bonitas com quem cruzava nos jantares sociais, sem porém se envolver com elas, satisfazendo-se apenas com conversas maliciosas, sedutoras porém inócuas.

"Sempre quis morrer devagar, sem pressa. Meu maior pavor na vida sempre foi morrer subitamente, sem poder organizar minha vida."

"Você já me disse isso. Está se repetindo. Acho melhor descansar um pouco."

Pego o velho no colo e levo para o quarto. Dou dois Lexotans a ele. Imagino que sou ele, enquanto espero o velho dormir. Enfio o dedo no nariz e não sinto cabelos na narina. Não vejo cabelos saindo pelo nariz dele, a Lou deve ter cortado todos. Preciso dar uma olhada na minha porra.

O tempo está passando, tenho que agir, fazer alguma coisa, não será pelo telefone, pode estar grampeado. Se conseguisse decifrar aqueles códigos; o vidro moído no borscht, os sujeitos se orientando pelo trovão, que merda seria aquilo?

O velho dorme. Checo o cofre. Saio pra rua. Telefono do orelhão.

"Precisamos nos ver."

"Ainda não", digo, "puseram vidro moído no meu borscht." Espero a reação do outro lado.

Silêncio.

"Eles se orientam pelo trovão."

"Não estou entendendo."

"Pelo brilho do relâmpago."

"Continuo não entendendo. Precisamos nos ver."

Desligo.

No dia seguinte o velho acorda estremunhado, abatido, apagado. Dois Lexotans de uma vez é demais para ele. Não sente fome e não me conta a história da sua vida.

Lou chega. Pergunta o que há com o velho. Não menciono os dois Lexotans.

Gosto do perfume do seu corpo. Quando Lou ri aparece um pouco da gengiva dela, uma carne vermelhinha e saudável. Ela, olhada sem preconceito, é bonita. Mas hoje, tirando o perfume, ela não parece bem, e não é apenas preocupação com o velho. Alguma coisa aconteceu com ela. Enquanto vai cuidar do velho preparo café para nós dois. Sei que Lou gosta de torrada com geléia de framboesa e café com leite.

"Vamos fazer as pazes", digo.

Lou sorve, pensativa, um pequeno gole da xícara. "Não estou brigada com você."

"Fiz a torrada como você gosta, com framboesa."

"Obrigada", diz, tentando sorrir. Dá apenas uma dentada na torrada.

Digo a ela que vou ficar na casa, hoje também. Ela novamente diz que não se incomoda. Vou para o meu quarto.

Na hora do almoço, pergunto como o velho está e Lou responde que agora ele está bem.

Passo o dia no meu quarto e saio apenas duas vezes para comer alguma coisa. Numa das vezes a surpreendo chorando, mas finjo que nada vi.

De manhã continua triste e tenho vontade de abraçar e beijar ela. Lou vai embora sem que eu consiga dizer a ela uma palavra de ânimo.

O velho, como sempre depois de tratado por Lou, está alerta, além de limpo e cheiroso.

"Senta aí e ouve", diz o velho.

Como ele sentia muitas dores, na ocasião em que pensavam que ia bater as botas, os médicos lhe aplicavam injeções de morfina. Era bom tomar morfina. A dor passava e ele voltava a ter trinta anos de idade e a mergulhar nas águas calmas de uma praia do Nordeste, protegida por arrecifes que serenavam e aqueciam as ondas. Enquanto boiava nessas salgadas águas mornas vinham à sua mente cenas com mulheres que tivera, as outras, não as esposas, que ele lembrava como se estivesse num teatro. Solange, sentada na cômoda baixa do apartamento do Plaza Athénée, as pernas dobradas de maneira a que os pés dela também se apoiassem sobre o móvel, ele em frente a ela, as cabeças no mesmo nível, e o pênis sem precisar ser guiado pela mão dele ou pela dela encontrava seu tépido encaixe. Sara, por quem esperava nu, caminhando de um lado para outro dentro do apartamento, e quando ela chegava arrancava com fúria as roupas que ela usava e começava a possuí-la em pé, na saleta de entrada. Sonia, na lancha durante uma tempestade fora da barra, os dois imaginando que morreriam tragados pelas águas enquanto trepavam na cabine balançante. Silvia, a melhor amiga da sua primeira mulher, fodendo com ele na sala de visita enquanto a mulher tomava banho no andar de cima. A morfina fazia-o recordar-se das mulheres em grupos de nomes que começavam com a mesma letra. Noutro dia eram Martha, Myrthes, Miriam. Depois, Heloisa, Helga, Hilda. Ele havia fodido todas as letras do alfabeto.

Agora não lhe dá prazer lembrar suas proezas libidinosas. Só lhe resta uma alegria, que poderia chamar de erótica, mas que prefere considerar estética. Mas isso ele não me conta, eu saberei depois.

"Mas eu não morri. Entende? Eu me vinguei das minhas mulheres, dos meus inimigos, de alguns, pelo menos, e por uma ironia do destino acabei punindo a mim mesmo com esse grotesco livro de encômios, sofrendo um castigo ainda maior do que aquele que aos outros infligira."

Ele fora convidado e aceitara participar de todas as grandes festas que ocorreram no país, de todos os banquetes de inauguração presidencial, de todas as bocas-livres de luxo; aparecera pelo menos uma vez por semana nas colunas sociais dos principais jornais do Rio e de São Paulo. Um idiota havia contado isso em detalhes no livro de panegíricos. Um outro escreveu sobre as viagens que fizera. Sobre o beija-mão do papa. Todas essas grandes merdas.

"Passarei à história como um arrivista desfrutável."

"Como você se vingou das suas mulheres?"

"De uma, assistindo com prazer ela morrer de câncer. De outra, mandando matá-la. Ela havia sido miss Guadalupe Country Clube."

"O senhor disse antes que ela fora miss Nova Iguaçu."

"Guadalupe. Quando tinha acesso a caviar grátis ela comia como um porco, sabendo que lhe causaria uma forte diarréia.

Mentia até mesmo quando dizia que havia lido o *Pequeno prínci-*
*pe*. Você me acha um monstro?"

"Não sei."

"Um dia cheguei em casa inesperadamente e ela estava na cama com o sujeito que dizia estar lhe ensinando história da arte.
Deixei passar. Mas quando o professor de tênis esbofeteou-a na
quadra do Country Clube com ciúmes de um outro amante, aquilo foi demais. É fácil mandar matar uma pessoa quando você tem
poder e vontade. Mais ainda se você é alguém que tem em sua
genealogia cardeais, condottieri, artistas e mafiosos, como eu. Já
ouviu falar nos Baglioni, de Perúgia? Século xv, Itália. São meus
antepassados. Estão no Burckhardt."

Grandes merdas. "Não. E a terceira? Aquela que não usava
maquiagem e que pelas rugas do rosto você sabia que era uma boa
pessoa."

"Ela se matou. Sobre isso não quero falar. A culpa foi minha.
Há pecados tão grandes que só podem ser punidos pela absol-
vição."

"E o senhor se sente perdoado."

"Infelizmente."

"Vejo que está sofrendo, com esse perdão."

"Sofro mais com esse indestrutível livro de louvaminhas."

Então ele repete mais uma vez que comprou todos os livros
que encontrou e os destruiu, mas que sobraram muitos livros espalhados pelo Brasil e pelo mundo, e fala do constrangimento e
de tudo o mais.

Está muito cansado.

"Acho melhor descansar um pouco."

"Sim, depois continuamos."

Deito no sofá, para vigiar o velho mas também para sentir o
perfume de Lou. Durmo e sonho com ela. Enfio a mão por entre
os botões de sua imaculada blusa branca de enfermeira e afago
o pequeno seio dela. O sonho é só isso.

De manhã, enquanto dou banho de esponja no velho, penso
em Lou. Hoje é dia de ela vir. O velho me faz novas confidências,
ouço as infâmias que cometeu, suas fanfarronices ("comi a mãe
e a filha"), suas máximas ("as mulheres bem casadas dão as me-

lhores amantes", "o poder aumenta o desejo sexual", "um homem deve perder os dentes ainda jovem para que essa privação não interfira com a sua libido"). Ele se refere, pela centésima vez, à frustração que sentiu ao se preparar para morrer e não morrer.

"Os médicos me disseram que eu podia ficar tranqüilo pois tinha ainda seis meses de vida. Eu podia me preparar para morrer e me preparei. Os idiotas dos médicos demoraram a descobrir que eu tinha uma doença que ia fazer de mim um inválido mas não me mataria. Não vou morrer nunca."

"O senhor já me contou isso."

Quero que Lou chegue logo, ter sonhado com ela me deixou ansioso. Estou sem paciência para ouvir as histórias do velho. Eu gosto dele, apenas estou sem muita paciência hoje.

Lou chega com o seu uniforme de rua, calça jeans, camiseta branca, bolsa a tiracolo, tênis. Continua triste. Entra no quarto. Reaparece no seu uniforme irrepreensível. Vou lhe dizer que sonhei com ela e que no sonho enfiei a mão por dentro da sua blusa e afaguei o seu seio. Mas como seu rosto está muito triste pergunto antes: "Você está triste? O que foi que aconteceu?".

"Meu namorado me deixou."

Ela espera, talvez, que eu diga alguma coisa, mas fico calado.

"Me deixou por outra mulher."

Como nada digo, Lou se dirige para o quarto do velho.

Os jornais não dão a notícia que me interessa e não devo fazer ligações telefônicas, pois podem descobrir o meu endereço. O melhor para mim seria dormir no apartamento do velho, mas acho melhor não ficar sozinho com uma mulher jogada fora, é covardia. Digo a Lou que voltarei antes das nove. Como sempre, vou para um hotel diferente, agora o Apa, na rua Barata Ribeiro. Como sempre, uso minha carteira de identidade falsa. No quarto, tiro os sapatos e deito na cama. Penso em Lou. Não deu para eu dizer que tinha sonhado com ela, dizer isso para uma mulher abandonada é sujeira. De noite saio. Em pé, num bar das imediações, como um sanduíche de queijo e bebo uma cerveja.

Durmo sentado na cadeira do quarto do hotel e sonho novamente com Lou, mas é um pesadelo, estamos na cama e ela se transforma na Gretchen e escapa do meu abraço como uma dessas bolas de encher quando é furada. Chega a fazer aquele barulhinho do ar escapando pelo furo.

Como sempre, a porta do apartamento do velho está fechada com o trinco por dentro e tenho que tocar a campainha para Lou abrir a porta.

O velho se comporta de maneira esquisita, mas não peço que ela me explique o que significa isso. Sinto o seu perfume. Ela me diz que hoje é o dia de ela preparar o meu café, mas que não sabe do que eu gosto.

"Um cafezinho apenas está bom."

Lou não parece tão deprimida. Ainda continua triste, mas parece ter tomado uma decisão, o que sempre deixa as pessoas mais fortes.

Durante o café ela me observa.

"Você nunca foi enfermeiro. Eu sei."

Não é uma recriminação. É curiosidade.

"Há muito tempo eu tomei conta de um velho na praia do Flamengo. Enquanto o velho morria eu passava os dias lendo os livros da biblioteca dele e as noites fazendo amor com uma boneca de vinil."

"Uma boneca de vinil? Que coisa mais triste."

"Eu era um garoto."

"E você gostava? Da boneca?"

"Eu era um garoto solitário. Com a Gretchen eu conversava."

"O que aconteceu com ela?"

"Furou. Me arranjaram outra, chamada Claudia."

"Outra boneca de vinil?"

"Sim."

"O que aconteceu com ela?"

"Deixei de ser uma criança, cansei de brincar de boneca."

"Você não está brincando comigo, está?"

"Não."

"E hoje? O que você faz realmente?"

A campainha do quarto do velho interrompe nossa conversa.

"O velho está chamando. Até quarta-feira", eu digo, mandando ela embora.

Vou ver o velho.

"A menina já foi?"

"Está saindo."

"Você já havia conhecido um outro assassino antes?"

"Já."

"E você os desprezou? Os odiou? Temeu?"

"Não."

"Você já matou alguém antes?"

"Já."

"O que foi que sentiu?"

"E o senhor? O que foi que sentiu? Ao matar sua mulher?"

"Nada, a princípio. Mas como advogado e cristão sabia que matar alguém, além de crime, era um pecado. Eu podia ir para o inferno, por isso. Então me arrependi e me confessei. Eu estava arrependido e fui absolvido. Eu vou para o céu, entendeu? Pois o meu arrependimento foi genuíno. A justiça divina tem sutilezas que a justiça dos homens não tem. Mas não é esse perdão que me angustia."

"Quer que eu o leve para ler na biblioteca?"

"Não. Na verdade ando desconfiado de que Macauley é um idiota. Os outros, ainda que tenham escrito coisas interessantes sobre os meus antepassados, são também uns idiotas. Tudo está me cansando. Já não acho graça na nudez de Lou. Heráclito dizia que nada há de permanente a não ser a mudança. Está na hora de mudar. Mas eu não quero ir para o céu."

"Isso não é comigo."

"É com você sim."

"Não quero ouvir sua proposta."

"Tem muito dinheiro naquela caixa de charutos."

"Não me interessa."

"Por favor. Eu não quero ir para o céu."

Subitamente ele está chorando. Sua voz é fina e suplicante, como a de uma criança. "Por favor, me ajude, eu não quero ir para o céu."

Espero ele parar de chorar.

"Está bem", digo. "Por mim você pode ir para o inferno."

Ele me explica como posso ajudá-lo. Um copo d'água e duas caixas de Lexotan. Cada caixa tem vinte comprimidos pequenos, cor-de-rosa. Nome genérico bromazepan.

Coloco um copo e uma garrafa com água e duas caixas de comprimidos sobre a sua mesinha de cabeceira. Ele está deitado, de pernas cruzadas.

"Desde o princípio eu sabia que podia contar com você. Me levanta para eu ficar recostado nos travesseiros."

"Você tem mesmo certeza de que não quer ir para o céu?"

"Você me entende."

Os comprimidos de Lexotan são pequenos e ele os engole de dois em dois, sentado, as costas apoiadas nos travesseiros.

"Eu já quis viver muito tempo, para ver todos os meus inimigos morrerem. Mas logo que morre um inimigo você se lembra da existência de outro. Ou inventa outro. Nunca acabam."

Os quarenta comprimidos são tomados com vários copos de água. A garrafa fica vazia.

Ele volta a se estender na cama, de pernas cruzadas.

"Tenho que morrer só."

Apanho a caixa de charutos com os dólares. Vou para o meu quarto.

Muito tempo depois a campainha toca e eu vou ao quarto do velho, mas não foi ele quem tocou a campainha. Está imóvel na cama, de pernas cruzadas. O rosto, sereno, não é o de quem foi para o purgatório ou coisa pior.

A campainha é a da porta da rua. Lou.

"Vim terminar nossa conversa. Posso entrar?"

Saio da frente. Ela entra.

"O doutor Baglioni?"

"Está dormindo."

"Você está surpreso de eu ter vindo hoje mesmo? A esta hora?"

"Não muito. Veste o uniforme de enfermeira."

Ela vai para o quarto. Ouço o alarme de um carro na rua. Tiro do gancho o telefone da sala.

O uniforme branco de Lou não tem uma ruga. Ela se aproxima de mim. Seus olhos castanho-claros têm um risco verde em torno da íris. Delicadamente abro o botão da blusa branca de Lou e afago um dos seios. Lou fecha os olhos. Volto a abotoar a blusa. Lou me olha como se soubesse quem eu sou, como se não houvesse mais barreiras entre nós e ela agora pudesse confiar em mim.

Pega minha mão. Vamos para o quarto dela. Sinto o perfume. Ela despe o uniforme. Eu fico nu antes dela, tenho menos roupa para tirar.

Na cama ela diz coisas incompreensíveis, misturadas com gritos e suspiros. Ela se entrega com esforço, ela quer gozar.

Depois ela dorme, um braço sobre o meu peito. Acorda, por um breve momento, e me pergunta "sou melhor do que a boneca de plástico?", e eu respondo que sim.

Fico o resto da noite acordado, pensando. Já quase de manhã ela desperta. Se espreguiça.

"Você quer mais?", Lou pergunta timidamente, sabendo que isso a torna mais sedutora. Não tenho vontade mas digo que sim. Ela agora está mais tranqüila e regala-se, sem gritos, nutre-se, sem suspiros.

Lou vai tomar banho. Continuo na cama, pensando. Ela vem nua do banheiro.

"Quer que eu vista o uniforme?"

"Não. Pode botar a outra roupa."

Lou tem o corpo bonito, quando se movimenta sem se preocupar com a minha presença.

"O velho me disse que não achava mais graça na sua nudez."

"Ele disse isso?"

"Você ficava nua na frente dele?"

Ela demora a responder. "Eu tirava a roupa e ele pedia para eu andar no quarto. Mas ele nunca tocou em mim. Era uma coisa rápida. Ele dormia logo. Uma vez ele chorou. Não, duas vezes ele chorou, pensando na vida que levava. Você está zangado?"

"Não. E quando ele dormia você deitava nua no sofá e dormia também."

"Como é que você sabe? O doutor Baglioni contou?"

"Seu uniforme lisinho. E o cheiro de perfume no sofá."

"Estou com fome", diz Lou.

Preparo o café com leite dela. Ponho geléia de framboesa na torrada.

"Você caiu do céu para mim", diz Lou, mastigando a torrada.

"O velho morreu."

"O quê?"

"O doutor Baglioni morreu."

"Meu Deus. Por que você não me disse? Ele morto e nós, nós fazendo aquilo."

"Ele se matou. Tomou quarenta comprimidos."

Lou levanta-se e corre para o quarto. Curva-se sobre o velho. Ele está morto e gelado.

"Coitadinho", diz Lou.

"Ele pediu para ficar só."

Levo Lou para o meu quarto. Apanho a caixa de charutos cheia de notas de cem dólares.

"Ele me disse para lhe dar isso." Afinal ela desfilou nua na frente dele, deu-lhe as últimas alegrias.

"Você matou o doutor Baglioni", ela diz, com um suspiro fundo.

"Anda, pega isso."

"Não quero esse dinheiro."

"Você tem que aceitar. Foi o último pedido dele."

Pego a maleta, e coloco nela as minhas coisas. Lou me olha, confusa.

"Liga para o médico, esse que tem o nome nas instruções, e diga que por negligência minha o velho teve acesso às pílulas. Eu chamei você e covardemente deixei a bomba na sua mão. Não se preocupe. O médico dará um atestado de óbito, o advogado providenciará o enterro. O nome do advogado também está nas instruções. Ninguém vai se incomodar com a morte dele."

"Eu vou."

"Ninguém mais. Não se preocupe. Desculpe deixar esse trabalho todo para você. Tenho minhas razões."

"Vamos nos ver novamente?"

"Não sei."

"Me dá o seu telefone."

"Não tenho telefone."

Ela escreve num papel os endereços e telefones dela, da casa, do hospital. Me agarra, me beija na boca. Custo a me desvencilhar do abraço dela.

"Vou levar este livro." Apanho o livro de panegíricos.

"Não me abandone", Lou diz, à porta.

Na rua, depois de destruir a capa e arrancar a maioria das páginas do livro, jogo tudo no lixo. Minha homenagem ao velho.

Vou para o Hotel Itajubá, no centro da cidade.

Tiro os sapatos, deito e espero a noite chegar.

*A RECUSA
DOS CARNICEIROS*

> *Quem duvida que tendo o Brasil três milhões de*
> *gente livre, incluídos ambos os sexos e todas as*
> *idades, este número não chegue para arrostar*
> *dois milhões de escravos, todos ou quase todos*
> *capazes de pegarem em armas!? Quem, senão*
> *o terror da morte, fará conter essa gente imo-*
> *ral nos seus limites?*
>
> Francisco de Paula e Souza e Melo, em dis-
> curso na Câmara dos Deputados, sessão de
> 15 de setembro de 1830.

Estamos em maio de 1830, na Câmara dos Deputados. O sr. Antônio Pereira Rebouças, em seu discurso, lembra do que aconteceu há poucos anos, em 1825, quando o carrasco que deveria enforcar o bem conhecido major Sátiro se recusou a fazer sua estréia como algoz. Sátiro teve que ser fuzilado. Uma semana depois o verdugo recalcitrante foi executado por um carniceiro.

Quando quiseram novamente usar um açougueiro para fazer o serviço do carrasco, os açougues se fecharam e os carniceiros se recusaram a desempenhar essa tarefa. Naquela ocasião, "o prestadio juiz" — palavras do sr. Rebouças — "mandou prender na rua um escravo obrigando-o a fazer o serviço do verdugo". Dizem, o que talvez não passe de um rumor infundado, que os enforcados têm uma ereção do membro viril seguida de forte ejaculação de gozo no momento do apogeu de sua agonia. Pelo visto, os carrascos não parecem usufruir desta aprazível emoção durante o enforcamento.

*129*

Podem faltar carrascos, mas nunca faltarão espectadores. O sr. Rebouças sabe disso, mas não irá comentar tais circunstâncias. Na França comprava-se (ou compra-se) um condenado à morte em uma cidade para que ele fosse executado numa outra, que por falta de criminosos ficara um tempo muito longo sem oferecer ao povo um espetáculo dessa natureza. A pena de morte, pela função educativa que lhe atribuem seus defensores, deve ser levada a efeito em local amplo que facilite a observação do maior número de pessoas. Todos os cidadãos devem ter a oportunidade de poder ver, ao mesmo tempo, o trabalho do carrasco. Infelizmente a maioria tem que se contentar com o relato de um amigo, parente ou vizinho que teve a sorte de estar presente. Ao infeliz que não pôde assistir à execução resta ouvir, invejoso e inferiorizado, a descrição de como o condenado chorou como um poltrão e pediu misericórdia; ou então como, opostamente, manteve sua alma negra e seu coração perverso sob controle; e como ele, o venturoso espectador, vomitou ao ver a aparatosa cena e passou a noite em claro relembrando seu emocionante horror. As mulheres, está comprovado, ficam ainda mais excitadas com o hediondo espetáculo. Um réprobo estrebuchando pendurado pelo pescoço é algo que tem que ser visto pelo menos uma vez na vida. Assunto para muitas tertúlias.

Isto faz pensar num "terrível pátio de Versalhes, onde se fazia", segundo Michelet, "na noite da caça, a distribuição de restos de carne aos cães famintos. Pátio pequeno, bem pequeno, que devia parecer um abismo de sangue, um poço de carniça. Um balcão interior permitia às belas damas olhar à vontade e aspirar seu perfume". Assunto para muitas tertúlias.

Há também um aroma especial a ser aspirado do corpo do enforcado nos instantes agônicos, quando a execução se realiza num local pouco ventilado.

Mas não é a falta de carrascos, essa razão pragmática, que faz o sr. Rebouças dispor-se a votar contra a pena de morte na discussão do projeto de código criminal que ocorrerá na Câmara dos Deputados neste ano de 1830. Ele sabe que se for feito um plebiscito para decidir se a pena de morte deve ou não ser abolida, a pena de morte será vitoriosa. Mas, para o sr. Rebouças, "a pena de morte é contra o Poder Divino e igualmente contra a Constituição. É desnecessária, é ineficaz, é nociva e depravadora a toda prova e não deve manchar o nosso Código Criminal".

Recuando a junho de 1826. É um bom ano para as belles-lettres. Na França, o sr. Alfred Victor, comte de Vigny, publica *Poèmes antiques et modernes*. Em Portugal, com *D. Branca*, o sr. João Batista da Silva Leitão de Almeida Garrett introduz "o vírus do romantismo" na poesia de língua portuguesa. Na Alemanha, o sr. Heinrich Heine, o poeta dos versos musicados pelo sr. Robert Schumann, tem impresso seu livro *Reise Bilder*. Voltemos à nossa Câmara dos Deputados. É sabido que a maioria dos parlamentares, magistrados, clérigos, altos funcionários não dá muita importância aos problemas da administração da justiça em nosso país. Mas alguns, como o sr. Clemente Pereira, acham "desnecessário e até supérfluo mostrar a carência que temos de um código criminal, pois na verdade o não possuímos, visto que as ordenações imensas e disformes que se dizem em vigor são inteiramente inaplicáveis às nossas circunstâncias". Diz o sr. Clemente Pereira que, sendo, pois, "conhecida a utilidade e necessidade que temos deste código, que não poderá ser obra de um momento, por depender de profunda meditação e estudo", tratou ele de elaborar um projeto de código criminal adequado ao tempo em que vivemos. Porém, "depois de ter adiantado algum trabalho sobre as bases que havia estabelecido, lembrou-se que talvez essas mesmas bases houvessem de sofrer grandes alterações, e nesse caso estava derribado todo o edifício que tivesse levantado sobre elas, e todo o seu trabalho perdido".

De qualquer forma, o sr. Clemente Pereira apresenta seu projeto na Câmara dos Deputados, o qual é encaminhado para a Comissão de Legislação e de Justiça Civil e Criminal. Conforme parecer da comissão, "os princípios postos no projeto de lei do sr. Clemente Pereira são fundados em justiça e eqüidade, sólidas bases que devem ter os códigos; conformam-se, esses princípios, com a Constituição do Império, com o direito universal, com a natureza das associações políticas e as luzes do século".

* * *

Estamos, agora, em maio de 1827. Na Rússia, o sr. Aleksandr Sergheievitch Puchkin publica o poema longo *Os ciganos*. Neste mesmo ano, é recebido com apologias e arroubos laudatórios, em Lisboa, o livro de versos do sr. Antonio Feliciano de Castilho, o árcade cego. Neste mês e neste ano, na Câmara dos Deputados, dois projetos de código criminal estão sendo discutidos, o do sr. Clemente Pereira e o do sr. Bernardo Pereira de Vasconcellos, que neste momento defende seu projeto:

"Senhor presidente, meu projeto de código contém três partes. A primeira trata dos crimes que se podem cometer na sociedade e da aplicação das penas que lhes são correspondentes; a segunda trata de materiais judiciais, e a terceira da ordem do processo".

O sr. Vergueiro pede a palavra e diz que não sabe nem conhece os projetos de lei que se hão de apresentar.

O sr. Calmon, num aparte, adverte que "um código criminal exige largo tempo de discussão. Tal código não será discutido em toda esta sessão, nem mesmo na seguinte legislatura. O que se acha em projeto sobre a mesa não é apresentado ao corpo legislativo pelo príncipe Cambaceres, debaixo dos auspícios de Napoleão, para que seja aprovado, guardada apenas a decência dos debates. Se um projeto de regimento interno anda há três sessões nesta Câmara sem ser aprovado, e se qualquer projeto de lei exige ordinariamente largas discussões para ser admitido apenas à ordem dos trabalhos, qual não será a nossa despesa de tempo e paciência para aprovar um código inteiro?".

Retornamos a 1830. Acaba de ser editado o romance *Le rouge et le noir* do sr. Marie-Henri Beyle, que se assina Stendhal, baseado na notícia sobre o guilhotinamento de um criminoso passional publicada na *Gazette des Tribunaux*. Ainda na França, a estréia da peça *Hernani*, ou *L'honneur castillan*, do sr. Victor Hugo, provoca na platéia um conflito entre adeptos do classicismo e do romantismo; lutando pelas tropas românticas foi visto o poeta sr. Théophile Gautier, vestido com "um colete cor de cereja e calças verde-água". Notícias de Weimar dizem que o sr. Johann Wolfgang von Goethe está a terminar a segunda parte do seu monumental poema dramático *Fausto*, "uma fantasmagoria teatral filosófica". Estamos no Rio de Janeiro, de volta, mais uma vez, à Câmara dos Deputados. O sr. presidente da Câmara propõe, conforme parecer da comissão especial, que se decida se o projeto de código criminal deve ser ou não admitido à discussão.

Sim.

O sr. Ferreira França rejeita o projeto por "ver nele uma hidra de crimes e culpados, muitos cúmplices, muitos aderentes. Senhores! As penas devem ser reduzidas ao menor número possível. Todo legislador que a cada falta impõe uma pena, que só quer achar criminosos, não é certamente digno do nome de homem; é um tigre digno de só legislar para os animais ferozes".

O sr. Rebouças, que acreditava que o projeto passaria prontamente, constata que sua esperança era vã e toma a liberdade de chamar a atenção da Câmara para o fato de que, "por imperfeito que seja o código, ainda é superior às ordenações do Livro Quinto e das leis extravagantes que parecem escritas em caracteres de sangue".

O sr. Carneiro da Cunha também quer apressar a aprovação do código e vota contra todas as emendas apresentadas, assegurando que não falará sobre elas e que se reserva para quando se tratar da pena de morte.

O sr. Paula e Souza propõe que se crie uma comissão especial para examinar no prazo de seis dias todas as emendas existentes, impressas ou manuscritas. "Evitemos que os inimigos da Constituição digam que nada fazemos. A massa da Nação não pode ajuizar dos nossos trabalhos senão pelos seus resultados, e poupemonos a que os boatos espalhados pelos mal-intencionados sejam acreditados. Comparemos os trabalhos da Assembléia Geral este ano com os dos corpos legislativos de todo o mundo em um tão curto espaço, e não se poderá dizer que temos trabalhado pouco. As leis não se improvisam como os antigos decretos do governo absoluto." Ouvem-se gritos de "apoiado!, apoiado!" no fim da fala do sr. Paula e Souza.

Mas o sr. Pinto Chichorro não se inibe com os aplausos recebidos pelo seu colega. Propõe que se discuta primeiro a pena de morte, antes de se nomear a comissão. "Não se tratando preliminarmente desta questão, poderá acontecer que ao depois nas votações se não admitam estas penas, transtornando-se e perdendo-se o trabalho deste código. Somente é o que tenho a dizer sobre a matéria, antes de se nomear a comissão, deve-se discutir a pena de morte e de galés perpétuas."

O condenado à pena de morte, hoje, é morto na forca. (Sim, o major Sátiro, que deveria ser enforcado, acabou fuzilado, outros tiveram que ser estrangulados pelo carrasco; consta que um condenado que resistiu ao suplício do enforcamento teve de ser morto a pauladas pelo verdugo, mas essas são apenas raras, fortuitas e irrelevantes exceções, nossos condenados são corretamente dependurados pelo pescoço até morrerem por asfixia.) E o condenado a pena de galés não rema mais nesse tipo de barco, que deixou de existir no século XVI. Estamos no século XIX, o século das luzes. A pena de galés foi substituída pela de trabalhos forçados. Ainda que a vida de um forçado perpétuo seja extremamente árdua, são notórios os casos de alguns que tiveram a felicidade de viver dez anos e até mesmo mais, cumprindo essa pena.

Na Câmara a discussão continua. Os discursos são prolixos, a retórica vociferante, como é de se esperar de quem ocupa uma tribuna.

Com a palavra o deputado Ribeiro de Andrada:

"A pena de morte considerada em sua eficácia material tem por fim reduzir o culpado à impotência, suprimir o perigo social pela morte do inimigo, e procurar a segurança da sociedade pela satisfação de uma vingança. Se o culpado preso e nos ferros está impossibilitado de perpetrar novos crimes, que mister há de condená-lo à morte? Não é ir contra os fins da sociedade, que tem por fito a conservação dos seus membros? Não é semelhante pena uma duplicação de perda?".

O sr. Ribeiro de Andrada está persuadido da atrocidade da pena de morte; seu raciocínio econômico procura abalar as convicções dos deputados, proprietários de escravos, mostrando os prejuízos que a pena de morte pode lhes causar. Antecipa-se, também, aos argumentos dos seus adversários mais perigosos, o sr. Paula Cavalcanti e o sr. Paula e Souza. De um ele teme a astúcia, do outro a eloqüência.

"A pena de morte, porém, considerada em sua eficácia moral", é ainda o sr. Ribeiro de Andrada quem fala, "deve produzir dois efeitos, isto é, deve inspirar o temor do castigo e a aversão do crime. Crime e castigo são, sem dúvida, duas idéias que mutuamente se ligam no espírito do homem; quando ele presencia um crime ele espera uma pena, assim quando assiste a um castigo ele presume um delito. Será porém a eficácia da pena de morte tão forte pelo terror que causa? Creio que não."

O sr. Ribeiro de Andrada, enquanto discursa, nota os olhares trocados entre os srs. Paula e Souza e Paula Cavalcanti. A parte final de seu discurso é dirigida ao seu aliado, o sr. Carneiro da Cunha, entre todos os parlamentares o que melhor poderá ajudá-lo na defesa dos seus princípios.

"Transportai-vos", diz o sr. Ribeiro de Andrada com voz embargada, "ao lugar de uma execução, fitai os olhos no fúnebre aparelho da morte; fixai-os no desgraçado padecente, e nos ministros do culto que o dispõem a beber a última gota do cálice da amargura; vede-o na força da vida, e em breve forçado a abandonar a existência para entrar no abismo do nada. O horror de um semelhante espetáculo apaga de vossa memória o crime perpetrado; o instantâneo do ato não pode servir-vos de lição para o futuro, e nem promete duração da antipatia, vossa razão fraqueia, vosso coração se aperta, e o inocente acaba vertendo lágrimas de ternura e de compaixão sobre o infeliz culpado."

O sr. Paula e Souza, sentado na primeira fila, sorri com escarninho, e vira-se para trás para que todos vejam o desprezo que sente pelo pieguismo altruísta do sr. Ribeiro de Andrada. Com um gesto comanda o sr. Paula Cavalcanti para que este fale a seguir. Conforme a reação do plenário, o sr. Paula e Souza decidirá da oportunidade do seu discurso, que afinal proferirá e que será por ele considerada a melhor oração parlamentar que fez neste ano de 1830.

Ano em que o sr. Théodore Taunay publica, no Rio de Janeiro, *Idilles Brésiliennes*, escrito em versos latinos; e o sr. Wilhelm von Humboldt, conhecido filólogo alemão, apresenta, ao ensejo de seus estudos sobre a antiga língua dos javaneses, interessantes conclusões sobre a heterogeneidade da linguagem e sua influência no desenvolvimento intelectual da humanidade; segundo o conhecido autor de *Prüfung der Untersuchungen über die Urbewohner Hispaniens vermittelst der vaskischen Sprache*, o homem passou a andar ereto para poder falar melhor, pois com a face voltada para o solo não podia emitir as palavras com a necessária clareza.

Provavelmente nem todos os deputados conhecem essa original teoria do sábio alemão, mas, conscientes de que postando-se curvados como certos macacos suas vozes não serão ouvidas com nitidez, sempre se põem de pé para fazer seus discursos. De pé, portanto, e estendendo à frente um dos braços, como se assim ajudasse a transmitir os sons emitidos por seu aparelho fonador pelo inteiro recinto da Câmara, Paula Cavalcanti fala pausadamente: "Tem-se dito em geral: a sociedade não tem o direito de impor a pena de morte; mas também qualquer homem não deposita na sociedade o direito de o prenderem, e a sociedade toma esse poder. Se a sociedade não tem o direito de impor a pena de morte, também me parece que não tem o direito de impor pena alguma. Não duvido que o sentimento de humanidade exigisse a extinção desta pena; mas o poderemos nós fazer no Brasil, com costumes ainda bárbaros? No interior do Brasil há assassinos de profissão, e em algumas províncias temos crimes, e não tão poucos como se quer inculcar. Os inimigos desta Câmara dirão: os exaltados têm proibido a pena de morte, pode-se matar e roubar a salvo, e isto há de produzir algum efeito contra nós".

Todos, naquele recinto, são muito sensíveis às acusações de inoperância que têm sido feitas à Câmara, e o sr. Paula Cavalcanti aproveita-se disso.

"Nenhum dos eloqüentes discursos que se têm pronunciado nesta Casa", continua o sr. Paula Cavalcanti, "apresentou razões convincentes, que demonstrem tanto a desnecessidade de impor-se esta pena como a sua incompatibilidade com a Constituição. Eu peço aos honrados membros que reflitam que a nossa Pátria ainda se não acha em grau de civilização tal que se possa admitir teorias escritas por homens filantrópicos, e aplicadas a povos cuja civilização se acha no seu auge; mas, assim mesmo lancemos os olhos para esses países civilizados, e vejamos se entre eles a pena de morte tem desaparecido. Não nos exponhamos aos efeitos de uma experiência que, talvez, se nos torne prejudicial, querendo caminhar apenas pela voz de nosso coração, sem atendermos à nossa posição, circunstâncias e hábitos."

Em seguida usa da palavra o sr. Vasconcelos. Depois de dizer que a pena de morte, longe de ser repelida pela Constituição, é nela apoiada, o sr. Vasconcelos adverte "que, na lei de responsabilidade dos ministros de Estado, a Assembléia declarou incursos na pena de morte os ministros de Estado, e conselheiros de Estado, que fossem traidores à sua pátria. Ora, senhores, esta lei foi aprovada pela Assembléia Geral; o Senado faz parte dela, e aprovou esta lei, que impunha a pena de morte. Que razão pois haverá para que o Senado mude de opinião? O que acontecerá é que o Senado multiplicará a pena de morte, regulando-se pelo Código Filipino; e não será melhor que esta Câmara apresente ao Senado os únicos casos em que ela pode ter lugar? Decerto; e eis aqui uma razão de conveniência, que também me obrigou a adotar a pena de morte".

Enquanto o sr. Vasconcelos fala, o sr. Paula e Souza observa atentamente as reações dos seus pares. Sente, apreensivo, uma sutil tendência à rejeição da pena de morte. Isso seria uma desgraça para o país, seria jogá-lo irremediavelmente na barbárie. Pede a palavra. Ele precisa usar em seu discurso todos os argumentos, toda a força da sua eloqüência, convencer, persuadir, amedrontar.

"Quem duvida que tendo o Brasil três milhões de gente livre, incluídos ambos os sexos e todas as idades, este número não chegue para arrostar dois milhões de escravos, todos ou quase todos capazes de pegarem em armas!?"

Ao dizer isto, o sr. Paula e Souza encara aqueles que estão próximos dele; gira o corpo na direção de todos como se seus olhos estivessem penetrando os olhos de cada um.

"Quem, senão o terror da morte, fará conter essa gente imoral nos seus limites?", indaga o sr. Paula e Souza, abrindo os braços dramaticamente. "A experiência tem mostrado que toda vez que há execuções em qualquer lugar do Brasil, os assassinatos e outros crimes cessam; e que, ao contrário, se se passam alguns anos sem execuções públicas, os malfeitores fazem desatinos e cometem todo o gênero de atrocidades. Daqui se vê que esta pena é eficacíssima, que previne muitos crimes."

Um rápido olhar de escrutínio ao rosto dos seus ouvintes. "As penas aplicadas à escravatura, disse-se, não deveriam entrar no código criminal, mas sim fazerem o objeto de uma legislação especial. Além dos escravos há no Brasil uma classe de indivíduos cujos hábitos são em tudo semelhantes aos dos escravos, e que por uma miserável quantia vão fazer um assassinato. Estes homens só com o terror da morte se podem corrigir. Exclui-se do código a pena de morte e galés: resta a prisão simples. Ora, o escravo que vive vergado sob o peso dos trabalhos terá porventura horror a encerrar-se numa prisão, onde poderá entregar-se à ociosidade e à embriaguez, paixões favoritas dos escravos? Ele julgará antes um prêmio que o incitará ao crime. A desproporção entre as penas e os delitos produz maus efeitos; quanto piores serão esses efeitos quando a pena, em lugar de incomodar, acomoda?"

O sr. Paula e Souza cita exemplos para comprovar seu raciocínio. A pena de galés, ele afirma, é ainda "uma pena muito doce para esta qualidade de gente. O sistema de escravidão no Brasil é certamente péssimo; porém havendo entre nós muitos escravos, são precisas leis fortes, terríveis, para conter esta gente bárbara. Os americanos do Norte, que têm entre si este mesmo mal, assim obraram. Exponho outras circunstâncias à consideração da Câmara. Nas cidades marítimas acumulam-se estrangeiros viciosos, cobertos de crimes; qual será a pena para estes homens? Demais, em muitas capitais do Brasil não há prisões seguras; aonde pois recolher esses facinorosos, aonde tê-los seguros?".

O sr. Paula e Souza, pouco antes de findar seu discurso, percebe que o sr. Ribeiro de Andrada e o sr. Carneiro da Cunha cochicham um com o outro. Tem vontade de prosseguir depois de ter encerrado seu discurso, mas isso seria contra a praxe parlamentar.

Ainda neste ano de 1830, o filólogo sr. Ljudevit Gaj publica um relevante ensaio sobre a reforma ortográfica croata. O sr. Tiburcio Antonio Craveiro, poeta do arcadismo açoriano, que teve de emigrar em 1823, para a Inglaterra, devido a sua adesão à revolução liberal, e que depois seguiu para o Rio de Janeiro, onde, mais tarde, foi professor de retórica no Imperial Colégio D. Pedro II, termina de escrever *Ekmenouville* ou *Túmulo de João Jacques Rousseau*. E o sr. Augustin François César Prouvensal de Saint-Hilaire, naturalista e botânico francês também conhecido como Auguste de Saint-Hilaire, publica *Voyage dans les Provinces de Rio de Janeiro et Minas Gerais*. Mas ouçamos o sr. Carneiro da Cunha.

"O homem, senhor Presidente, tributa um santo respeito à existência do seu semelhante, e por todos os meios possíveis, e ainda a despeito de algum delito, que ele por sua miséria e desgraça cometa, deve poupar o derramamento de sangue, salvo quando a salvação da Pátria o exija imperiosamente; porque em sua defesa está a salvação de todos. Não demos exemplos de barbaridade, de legisladores cruéis como Draco, principalmente em um século de luzes e quando as idéias de liberdade civil e religiosa, de filosofia e humanidades triunfam quase em todos os pontos do universo contra o arbítrio funesto do despotismo político. Não estabeleçamos penas severas, leis de sangue de que sempre se têm valido os tiranos para perpetuarem o seu bárbaro domínio, para fazerem pesar sobre os miserandos povos o seu cetro de ferro. Consideremos bem que é para a nação brasileira que vamos legislar, cujo caráter doce e brando exige mais suavidades nas leis; é a este povo generoso e hospitaleiro que também se deve aplicar aquele verso do poeta latino — *Jupiter illa piae secrevit litora genti*. Mas continua-se a insistir que o Brasil não está em circunstâncias de abolir esta pena cruel, e que os brasileiros são desmoralizados, o que não posso deixar passar em silêncio. São, senhor Presidente, culpados os brasileiros de ter o antigo governo português muito de propósito introduzido a corrupção na administração pública, vendendo empregos, não punindo os magistrados venais, protegendo e apoiando a violência e a opressão, cerrando os ouvidos às queixas dos perseguidos, não distribuindo justiça e autorizando os paxás a praticarem quanto lhes ditava sua malvadeza, ambição, e mesmo suas vinganças, sucedendo por desgraça nossa que o Governo do Brasil, depois de sua independência, continue no mesmo traidor sistema, sendo perseguidos os escritores livres, assassinados e deportados, e os seus opressores (os colunas) protegidos e premiados? Se não existisse esta pena não recordaríamos com dor estes dias de luto e de amarguras em que exalaram o último suspiro nos cadafalsos da inquisição política um Antônio Henrique, os Sátiros, os Canecas e outros mártires da Pátria que se sacrificaram defendendo corajosamente nossos direitos, nossa independência e liberdade."

Carneiro da Cunha fala nas trevas do fanatismo, da ignorância, da barbaridade. Fala das penas severas, como a pena de morte, que em lugar de conduzirem o criminoso ao caminho da correção, o exasperam e o fazem mais furioso. "Por todas estas considerações e bem fundados motivos", diz ele ao encerrar seu discurso, "que exposto tenho, e os que mais sábia e eloqüentemente expenderam os ilustres oradores que a combatem, com toda a tranqüilidade de minha consciência, voto contra a pena de morte por ser, torno a repetir, impopular, atroz, ineficaz, contra a razão e a natureza, oposta ao Poder Divino e humano, e contrária aos princípios de igualdade, de justiça e de utilidade pública." Princípios, contra os quais, diz o orador, lutam incansavelmente os colunas.

Os colunas a que o sr. Carneiro da Cunha se refere são os membros da sociedade secreta, católica, conservadora e absolutista Coluna do Trono e do Altar. Esta sociedade tem como lema "o Imperador sem o Trambolho". O *trambolho* é a Constituição, que foi outorgada pelo próprio Imperador, depois de dissolver a Assembléia Constituinte em 1823. Mas, se por um lado a *Carta Outorgada* consagra o catolicismo como religião oficial do Estado, o que agrada aos colunas, por outro estabelece a existência de quatro poderes — Executivo, Legislativo, Judiciário e Moderador —, divisão que os colunas consideram um cerceamento inaceitável das funções do Monarca, ainda que, em sendo, como é, o Poder Moderador, Sua Majestade possa nomear senadores e ministros e dissolver a Câmara. (Entre 1832 e 1835, a Coluna do Trono e do Altar irá provocar e estimular revoltas e insurreições "restauradoras'' contra o governo da Regência Trina Permanente, com o objetivo de restituir o poder a D. Pedro I, que abdicou em 7 de abril de 1831.)

## 26 DE AGOSTO DE 1855

Neste ano, na América do Norte, vive-se um momento de grande interesse popular pelos índios, e o sr. Henry Wadsworth Longfellow publica *The song of Hiawatha*, que trata desses selvagens. Ainda no país do Norte, foi posto à venda *Leaves of grass*, do sr. Walt Whitman, que considera o livro sua "letter to the world". De Portugal vem a notícia de que o sr. Alexandre Herculano, conhecido por seus romances históricos, está a escrever a *História da origem e estabelecimento da Inquisição em Portugal*. É publicada no Brasil, postumamente, a obra *Inspirações do claustro*, do sr. Luís José Junqueira Freire, que foi monge do mosteiro dos beneditinos, em Salvador, Bahia, até o ano passado, e que faleceu recentemente, pouco depois de abandonar o convento. Neste dia 26 de agosto de 1855, em Macaé, na praça do Rocio, sob a presidência do juiz municipal substituto dr. José Maria Velho da Silva, o carrasco executa, em nome da lei, os condenados Motta Coqueiro, Florentino da Silva, Faustino Pereira e o escravo Domingos.

Ao enforcar-se o sentenciado Motta Coqueiro, que até o último instante diz ser inocente do crime que lhe imputam, a corda arrebenta e o réprobo cai ao chão. O carrasco, para levar a cabo sua tarefa, agarra o condenado pelo pescoço para matá-lo por esganadura. O sr. dr. juiz percebe que o verdugo encontra dificuldades para levar a termo a execução, pois não passa de um incompetente. Um carniceiro faria o serviço melhor mas os carniceiros continuam se recusando a desempenhar essa tarefa. O sr. dr. juiz substituto manda então que encham de terra a boca do criminoso, o que é feito. Não se vê mais a boca, nem se vê o nariz, nem se vêem os dentes, nem os olhos arregalados do condenado, agora cobertos de terra. Mas não há dúvida de que cumpriu-se a pena de morte, sendo obedecidos os ditames da lei e da justiça.

*141*

*ROMANCE NEGRO*

*All that we see or seen*
*Is but a dream within a dream.*

Edgar Allan Poe

"Posso acariciar novamente sua clavícula?"

"Sim."

Winner tira a blusa de Clotilde. Depois pega-a no colo e deita-a na cama. Afaga-lhe os ossos da omoplata e do tórax, onde se firmam seios pequenos e empinados; apalpa-lhe as costelas conspícuas. O corpo de Clotilde às vezes lembra o de um lagarto, se um lagarto tivesse a pele tão fina.

"Levanta a cabeça", diz Winner depois de desnudar Clotilde. Com a língua sente os músculos abdominais da mulher, retesados sob a pele. Afaga com a mão a musculatura ondulada desse ventre que lhe parece, excitantemente, uma tábua de lavar roupa.

"Beija a minha boca", ela diz.

"Mostre-me sua língua."

Deitada, porém com a cabeça e os ombros erguidos, definindo ossos e músculos do corpo, Clotilde, cada vez mais um lagarto, salienta por entre seus pálidos lábios uma língua fininha, veloz e escura, comprida, que Winner consegue prender em sua boca e sorver, antes de começar a lamber meticulosamente as costelas da mulher. E, virando-a de costas, também lambe o seu cóccix; e, revirando-a, explora com a língua os joelhos, os cotovelos, e o astrágalo e o escafóide do pé direito de Clotilde.

Os movimentos imprimidos por Winner ao corpo de Clotilde deixam-na parcialmente caída ao chão, apoiada sobre a cabeça. Winner abre, então, as pernas magras de Clotilde e olha a fenda abstrusa de congestão e sombra que corta seu corpo. Com as cabeças no chão e as pernas para o alto sobre a cama, juntam-se, em sua volúpia, como dois morcegos.

"Sem saber seu segredo, nada de sério pode existir entre nós dois", diz Clotilde, depois. Levanta-se do chão e abre a janela. Uma brisa gelada entra pelo quarto.

"O que você vai fazer?"

"Vou me atirar pela janela. Quero morrer. Se você não me contar seu segredo, agora, prefiro morrer."

O vento frio balança os finos cabelos de Clotilde; até mesmo os duros enroscados pêlos negros do púbis parecem tremer.

"Sai da janela. Chega de brincadeiras. Você vai acabar pegando um resfriado."

"Você me conta?"

"Desce daí. Deita aqui comigo."

Clotilde deita-se, a cabeça apoiada no braço de Winner. Em ocasiões anteriores, após terem feito amor daquela mesma maneira — um hipotético coitus cum bestia entre um lagarto fêmea e um homem — Winner lhe prometeu, falsamente, contar o segredo. Mas desta vez Clotilde tem um pressentimento de que o segredo está prestes a lhe ser revelado.

Peter Winner, o escritor, chegou a Paris nesta tarde chuvosa, com sua mulher Clotilde. Ficam apenas uma noite na cidade; no dia seguinte irão para Grenoble, onde se realiza o Festival International du Roman et du Film Noirs.

Agora estão os dois deitados na cama do hotel. Clotilde estende-se sobre o corpo de Winner, que tenta ler num jornal a notícia: "Estará presente ao Festival de Grenoble o famoso escritor americano Peter Winner. Seu último livro *O farsante* confirma sua atual fase de esplendor, iniciada com *Romance negro*. Até então considerado um escritor em decadência, o novo Winner —"

"Novo Winner! Cretinos!", diz o escritor amassando o jornal e jogando-o no chão.

"Calma, calma", diz Clotilde. Pega a mão de Winner e passa-a de leve na sua clavícula nua. Winner sente o osso de Clotilde, como se a pele dela fosse uma tênue camada de seda. Delica-

146

damente afasta o leve corpo da mulher de cima do dele, pega o telefone na mesa de cabeceira e pede uma garrafa de champanha.

"Você não acha que já bebeu demais no almoço?", pergunta Clotilde.

"Depois de dois anos de casados você ainda não me conhece."

"Então me conta o seu segredo. Isso talvez me ajude a conhecê-lo", diz Clotilde. Ela sempre aproveita todas as oportunidades para fazer esse pedido. "Você me prometeu que um dia contaria seu segredo. Se você me contar o seu, eu lhe conto o meu."

"Não será uma troca justa. O meu é mais terrível."

"Estou pedindo. Vamos contar nossos segredos, um para o outro."

"Não estou interessado no seu segredo."

"Você não confia em mim?"

"Não."

"É algo relativo à sua homossexualidade?"

"Já lhe disse que não sou nem nunca fui homossexual. Pareço um homossexual para você?"

"Não. Mas todo mundo desconfiava que você era homossexual. Você ainda me ama?"

"Estamos falando de segredos ou de amor?"

"Segredos e amor estão sempre juntos", diz Clotilde. "Um depende do outro."

Clotilde é vista assim por Winner: magra, ossuda, olhos negros redondos como botões, dentes grandes e brancos que não deixam ver as gengivas.

Ficam em silêncio um longo tempo.

"Você está confortável? Não tem medo?"

"Não."

"Não o quê?"

"Não tenho medo do seu segredo."

"Eu matei um homem", diz Winner.

"Meu Deus", diz Clotilde. Mas ela não parece muito chocada. Ou por não acreditar em Winner — ele costuma inventar histórias desse tipo — ou porque ouvir que Winner matou alguém não é motivo para maiores comoções. Afinal, seu marido é um americano.

"Você não vai dar os detalhes? Quem era esse homem? Como foi?"

"Em Grenoble eu lhe conto. Agora vamos dormir."


No dia seguinte Clotilde e Winner acordam cedo para pegar o Train Noir. O trem, na verdade, não é negro, nem por dentro nem por fora. Negra é a literatura que seus ocupantes, nesta viagem, escrevem, revisam, publicam, propagam e vendem.

Winner permanece em sua poltrona, ao lado de Clotilde. Embebeda-se de champanha; recebe homenagens — "uma maravilha, o seu último livro" — com desprezo. E pensa na viagem que fez dois anos antes.

Ao chegarem a Grenoble uma limusine os espera. Alguns poucos escritores merecem esse tratamento especial; quase todos os demais, junto com os jornalistas, recepcionistas, agentes, editores, publicitários, relações públicas, entram nos ônibus que os levarão para os seus hotéis.

O festival se realiza num local escuro que parece uma imensa caverna; ouvem-se, a intervalos regulares, através de alto-falantes ocultos, sons de avalanches, de trovões, de terremotos que ecoam nas sombras. Winner lê um folheto com informações sobre o festival e o programa específico que ele deve cumprir: participar de um debate e de uma noite de autógrafos.


## DOIS ANOS ANTES

Seu comparecimento ao festival, há dois anos, criou uma comoção no mundo literário. Até então Winner não dava entrevistas, não comparecia a congressos, festividades, solenidades, acontecimentos sociais, e não havia dinheiro que o convencesse a aparecer na TV.

Mas Winner — que num raro pronunciamento havia justificado seu isolamento com a afirmativa de Kafka de que nunca há suficiente solidão em torno de quem escreve, acrescentando que prezava seu recato acima de tudo e que se orgulhava de não ter uma biografia — surpreendeu a todos naquela ocasião, dois anos atrás. Além de se exibir, de falar exaustivamente de si e dos outros escritores, atacou ruidosamente os franceses por não terem criado, como os americanos e os ingleses, uma tradição no roman noir. Finalmente, se enamorou de uma mulher e se casou com ela, quando todos o supunham um homossexual. Isso tudo no espaço de um mês. Há dois anos.

## AGORA, NOVAMENTE EM GRENOBLE

Winner não está possuído pela mesma euforia. Tem, em sua mente, um vago plano sinistro que pretende colocar em prática durante o debate daquele dia.

Os participantes do debate se encontram momentos antes do seu início. São eles, além de Winner, a inglesa P. D. James, o americano James Ellroy e o alemão Willy Voos, que vive em Alicante, na Espanha. O moderador é o francês Jean-Claude Billé.

Nenhum deles conhecia Winner pessoalmente. Ellroy coloca a mão no ombro de Winner e diz "somos os continuadores da tragédia grega". Depois curva a cabeça para trás e uiva como se fosse um lobo.

P. D. James, muito anglicanamente, finge não notar o comportamento do americano. Voos não consegue esconder sua surpresa. O mesmo acontece com Billé.

"Você me lembra o carcaju que aterroriza os leitores de *The big nowhere*", diz Winner.

"Um rapinante feroz, le wolverine", diz Billé.

Ellroy uiva novamente. Os outros escritores, que admiram a brutalidade, a falta de compaixão da literatura de Ellroy, esperam que ele se acalme. Obviamente Ellroy não está drogado, nem está sofrendo um surto psicótico.

"Aos debates!", conclama Billé.

Num dos cantos da imensa caverna instalaram uma espécie de auditório, com uma mesa sobre um estrado e um semicírculo de cadeiras, todas ocupadas. Gente em pé.

Billé começa: "Dizem que para a chamada escola inglesa, crime, criminoso e vítima existem apenas para permitir ao detetive o trabalho de solucionar o Enigma. Segundo esse ponto de vista, os autores ingleses não perderiam muito tempo na descrição dos personagens e de suas motivações. Por outro lado, na escola americana, o Enigma é um pretexto para o crime. O crime, lado nefário, secreto e obscuro da natureza humana, é o essencial. O detetive americano despreza os valores da sociedade em que atua, seja ele um investigador privado, como Sam Spade ou Marlowe; seja um membro da força policial, como Hopkins; seja um paranóico obsessivo, fugitivo de um asilo de loucos, como Kramer, do *Romance negro*, de Winner. A corrupção, a violência, a loucura são a norma. O que P. D. James tem a dizer sobre isso?"

P. D. James responde com clareza: "Sim, nós acreditamos que o romance policial inglês, iniciado em 1848 com o livro *Moonstone*, de um autor muito ilustre, Wilkie Collins, deve narrar a descoberta de um crime através de um processo metódico e racional. A ação, em nossos livros, se desenvolve numa sociedade de hierarquias definidas, em que a paz e a ordem são a norma. O detetive, seja um investigador particular como Hercule Poirot, seja um inspector da Scotland Yard, como Larry Holt ou o meu Dalgliesh, trabalha em defesa dessa sociedade cujos valores respeita e aceita. Mas, se a ordem e a paz são a norma, isto não significa que loucura, violência e corrupção não existam. Apenas são apresentadas sem a ênfase" — sorri amistosamente — "dos americanos".

"Quem é Larry Holt?", pergunta alguém na platéia.

"Personagem do Edgar Wallace", diz Billé, impaciente com a ignorância do assistente.

O debate torna-se muito técnico e passa a ser acompanhado pelos assistentes sem muito interesse; além do mais, nenhuma novidade está sendo dita.

Billé provoca Winner, perguntando se ele, ao afirmar, dois anos antes, que não existem outras escolas de romance negro além da inglesa e da americana, queria com isso dizer que apenas se escreve literatura negra na língua de Shakespeare.

"Não quero aqui expor novamente o que disse sobre a inexistência de uma tradição francesa de roman noir. Dois americanos, Poe e Hammett, estabeleceram, em épocas distintas, as características modernas desse gênero literário, mas dou a vocês, franceses, a honra de serem os principais exegetas, os hermeneutas do gênero. Vou responder sua pergunta de maneira sucinta. Existe literatura de mistério em todas as línguas. Simenon escreveu mais de uma centena de romances policiais... em francês. O Willy Voos, ao meu lado, escreve em alemão. Kyotaro Nishimura, também presente a este festival, tem centenas de livros policiais publicados, consta que escreve um por mês... em japonês. Dizem ainda que Yamamura Misa é mais rápida do que uma copiadora Nashua. Georgi Wainer escreve em russo. Montalbán e Juan Madri, em espanhol. A língua que produz mais escritores policiais no mundo é a catalã, considerando-se o número reduzido dos seus utentes. Escreve-se roman noir em urdu, tagalo, malgaxe, tâmul."

Winner faz uma pausa. "Verifico, porém, que muitos dos presentes — este senhor aqui na primeira fila, por exemplo, está a dormir — talvez estejam achando este debate muito aborrecido e eu tenho uma sugestão a fazer."

O homem a quem Winner se referiu abre o olhos, tira o cachimbo da boca, e diz: "Eu não estava dormindo. Gosto de fumar e ouvir com os olhos fechados. Se eu estivesse a dormir o cachimbo cairia da minha boca".

Risos.

"Qual é sua sugestão?", pergunta Billé, que não gostou da afirmativa de Winner.

"Acabamos de dizer que o romance negro se caracteriza pela existência de um crime, com uma vítima que se sabe logo quem é; e um criminoso, desconhecido; e um detetive, que afinal descobre a identidade desse criminoso. Assim, não existe o crime perfeito. Não é verdade?"

"Não, não existe o crime perfeito... na literatura", diz Voos.

"Nem na vida real", diz o homem do cachimbo. "Na vida real o que existe são detetives imperfeitos."

"Eu afirmo a todos vocês deste auditório que existe o crime perfeito, na vida real e, portanto, na literatura. Ou vice-versa, se preferem", continua Winner. "E posso provar isso."

"O crime nunca é perfeito porque o criminoso não conta com o acaso. O acaso, que obviamente nunca pode ser previsto, acaba por condenar o criminoso", diz P. D. James.

"O crime perfeito é como uma obra de arte. Na obra de arte, como disse Baudelaire, não existe o acaso, como não existe na mecânica. Uma obra de arte deve ser como uma máquina. O crime perfeito *é* como uma máquina", acrescenta Winner.

"Como você vai provar a existência do crime perfeito? Isso é algo como provar a existência de Deus", diz Ellroy.

"Numa história policial, permitam-me repetir, sabemos da ocorrência do crime, conhecemos a vítima, mas não sabemos quem é o criminoso. Neste crime perfeito todos saberão logo quem é o criminoso e terão que descobrir qual é o crime e quem é a vítima. Eu apenas mudei um dos dados do teorema."

"Quem é o criminoso, afinal?", pergunta Voos.

"Eu", diz Winner.

Ouve-se um burburinho entre os assistentes.

P. D. James sorri. Esses americanos... Ellroy ouve atento. Ellroy conhece os abismos, Ellroy sabe que ele cometeu mesmo um crime, e que esse crime é nefando, pensa Winner. O homem do cachimbo agora tem os olhos abertos.

"Cometi um crime, cujos indícios, garanto, estão ao alcance dos presentes. Estão todos desafiados a descobri-lo. Têm três dias para isso."

"Que tipo de crime? Há crimes tão inocentes que não somos capazes de classificá-los como tal."

Uma parte da platéia ri.

"É um crime muito grave", diz Winner.

"Espero que não esteja propondo que façamos com você o jogo do *Die Panne* do Dürrenmatt, em que você seria Alfredo Traps e nós Zorn, Kummer, Pilet. Ou seja, teríamos que buscar e revelar sua culpa nos fundos de sua consciência. A assunção da culpa, afinal, o redimiria", diz Billé.

"Essa observação do Jean-Claude me deu uma idéia. Eu sei

quem é a vítima", diz um sujeito da platéia, um dos editores da antologia anual *Polar*.

"Quem é?"

"O nome dele é Peter Winner", diz o editor. "Os últimos livros de Winner são totalmente diferentes dos anteriores. A personalidade de Winner, hoje, é diferente da personalidade de Winner dois anos atrás. Você, Peter Winner, matou Peter Winner."

"Interessante", diz Winner.

"Ao escrever *Romance negro* você criou um novo Winner, matando o antigo. Algo parecido com o que Romain Gary fez com o Émile Ajar, apenas você não usou um pseudônimo, como ele."

"Então meu próximo passo será destruir fisicamente o velho Winner como Ajar fez com Gary?", pergunta Winner, com ironia.

"O suicídio é o pseudocrime perfeito. Se o seu suicídio acontecer nos próximos dias, mais um vez será provado que não existe o crime perfeito, o que é mais fácil de provar do que a existência de Deus. Porque você terá matado o novo e não o velho Winner. Como fez Gary. Romain Gary, ao se suicidar, na verdade, matou Émile Ajar."

A intervenção do editor da *Polar* anima os debates. Todos os membros da mesa participam e também grande parte da platéia. Winner fica em silêncio, desenhando, num papel à sua frente, estrelas de cinco pontas, num traço contínuo sem levantar o lápis. Pode-se perceber que, além de imerso em profundos pensamentos, ele está irritado.

Billé nota o súbito alheamento taciturno de Winner. "Vamos encerrar este debate. Já passou muito da hora do jantar e estou com fome, e nossos debatedores devem estar cansados e com mais fome do que eu."

Os assistentes protestam, mas Billé desliga os microfones.


No carro, de volta para o hotel, Clotilde diz que Winner conseguiu salvar do tédio absoluto aquele debate tolo sobre as origens do roman noir. "Ellroy uivar como um lobo foi muito excitante, mas a provocação que você fez foi ainda mais. Gostei da maneira de você falar, a mão crispada, olhando nos olhos dos ouvintes."

"Um velho truque que aprendi com o homem que eu matei", diz Winner.

"Então você matou mesmo um homem?"

"Matei."

"Foi em legítima defesa?"

"Foi uma cilada dos deuses, como na tragédia grega."

"Quando chegarmos ao hotel você me conta tudo?" Clotilde dá uma gargalhada. O que ela gosta naquele homem, além das suas compulsões eróticas, é a sua imprevisibilidade.


Clotilde, ao telefone, pede uma garrafa de champanha e duas dúzias de ostras. "Você nada comeu o dia inteiro."

"Hoje só me apeteceria comer cérebros de avestruz, como Heliogábalo", diz Winner.

"Agora conte seu segredo."

"Certa ocasião o imperador romano comeu seiscentos cérebros de avestruz numa sentada", diz Winner.

"Morreu assassinado numa latrina. Justiça poética. Agora conte seu segredo", diz Clotilde.

"Assim que o champanha chegar", diz Winner. "Não acha melhor ficarmos nus? Você sempre disse que uma pessoa nua só pode dizer ou uma verdade óbvia ou uma mentira óbvia."

Depois que tomam uma taça de champanha e ficam nus, Winner começa sua história.

"Aquele editor chegou perto, ao expor sua teoria. Eu matei Peter Winner."


*PRIMEIRO SEGREDO DE PETER WINNER OU JOHN LANDERS*

"Há dois anos, na manhã do dia 20 de outubro, eu estava na gare de Lyon, dentro do Trem Negro que em alguns minutos partiria de Paris para Grenoble lotado de escritores famosos. Mas para conseguir isso precisei, num lance rocambolesco, matar um homem e assumir sua identidade. O nome desse homem? Peter Winner. Quieta, Clotilde! Silêncio, meu amor, cumpra sua promessa.

154

Não me interrompa... Um pouco de paciência, minha querida... Dez minutos de atenção, basta isso, mas em silêncio, por favor... Creio que consegui, ao assassiná-lo, não importa o que disseram no debate, essa façanha difícil de ser alcançada até mesmo na ficção: o crime perfeito. Como Winner, minha querida, eu também havia sido professor de literatura. Essa era uma das coincidências que existiam entre nós, como sermos americanos auto-exilados na Europa, filhos adotivos de indivíduos que talvez já tivessem morrido pois não nos correspondíamos com eles. Permita-me uma digressão: os escritores que têm uma experiência magisterial são mais lúcidos que os outros, desculpe a falta de modéstia. Dar uma boa aula exige saber pensar, e não apenas sentir. Sabemos o que estamos fazendo, ao contrário da maioria dos escritores que supõe que sentir é tudo. Como se uma carpideira amadora, dessas que se debulham em lágrimas autênticas em qualquer funeral, soubesse, apenas por isso, escrever sobre a dor. Uma porcentagem imensa de escritores escreve sem ter noção exata do seu ofício, por isso existe tanta porcaria disfarçada em literatura. Agora, nós que já ensinamos literatura — não importa que tenha sido num colégio secundário de Newton, Massachusetts, como eu, ou em Princeton, como o verdadeiro Winner —, nós sabemos o que estamos escrevendo, mesmo quando é também uma porcaria.''

"Não faça circunlóquios'', diz Clotilde.

"Se você continuar me interrompendo eu paro de contar minha história. O verdadeiro Winner, ao contrário de mim, até então um perdedor, era um escritor que merecia seu nome, coberto de fama, glória e dinheiro, ainda que os últimos livros dele tivessem sido uma merda. Ele podia ter ido para o Ritz, mas, por delicadeza, para não parecer arrogante, hospedara-se no Hotel des Saints-Pères, na rua do mesmo nome, onde vocês da editora Grasset costumavam hospedar os seus escritores quando estes visitavam Paris. Isso não foi difícil de descobrir.

"Winner não gostava de dar entrevistas, nem de ser fotografado; tinha horror de caviar e de Mozart; talvez fosse homossexual. Isso era praticamente tudo o que se sabia sobre esse escritor famoso. Um sujeito misterioso, que muito pouca gente conhecia pessoalmente. A mim também ninguém conhecia, mas por outros motivos; eu era completamente ignorado, vivia, depois que me exilei, dando aulas de inglês pela França, em cidades diferentes — o que não deixou de ser interessante pois assim conheci essas belas pequenas cidades francesas — e meu nome, John Landers, nada significava por um motivo muito simples: eu chegara aos quarenta anos sem jamais fazer qualquer coisa que merecesse a atenção dos outros."

"Devo chamar você de John, a partir de agora?", pergunta Clotilde, ironicamente. O que o homem lhe conta não é O segredo, é mais uma das histórias que gosta de inventar, ela já está acostumada com isso.

"Não, Clotilde, você não tem que me chamar de John, pode continuar a me chamar de Peter. Agora cale-se, por favor.

"Eu não tinha a menor idéia de como era Winner, seus hábitos, sua fisionomia, sua altura, se era gordo ou magro; afinal, não havia fotografias recentes dele; como no caso do Pynchon, sua única foto era de quando tinha dezoito anos. Mas eu conhecia uma fraqueza dele: sua admiração doentia por Edgar Allan Poe. Aqui surge outra coincidência: eu também admirava, e admiro, como você sabe, a obra de Poe.

"Consegui que Winner viesse ao telefone, alegando ser um auxiliar de Clotilde Farouche. Você era editora da Grasset, naquela ocasião, a editora de Winner e — mais uma coincidência — se recusara a publicar um livro meu. Lembra-se? O quarto fechado, de John Landers? Não responda agora.

" 'É sobre o billet para o Train Noir', eu disse, quando Winner atendeu ao telefone.

" 'Já recebi', ele disse.

" 'Houve um engano e será preciso trocá-lo, posso levá-lo ao seu hotel agora?'

"Winner demorou a responder: 'Esperarei no lobby, usando um sobretudo preto e um chapéu, também preto, na cabeça'.

"Ele, evidentemente, não queria receber um estranho no recôndito do seu quarto. Eu, John Landers, hospedara-me num pequeno hotel da rue St. André des Arts. Carregava comigo uma pequena maleta com roupas, dentro da maleta algumas cartas, entre elas sua resposta recusando O quarto fechado e os originais de um novo romance que eu pretendia submeter à apreciação de

156

uma outra editora que não tivesse em seus quadros um animal feroz como Clotilde Farouche, hoje Clotilde Winner, na verdade Clotilde Landers. E ainda entre meus pertences havia uma revista velha, o maior tesouro que tive e terei em toda minha vida e que eu carregava comigo para onde fosse, com medo de que a roubassem ou de que o lugar onde eu a deixasse pegasse fogo. Estando comigo ou eu a salvaria ou pereceríamos juntos, e eu não enfrentaria o horror de perdê-la. Hoje está num cofre de banco, em Zurich.

"Levei um susto ao ver Winner no lobby do hotel. Era parecidíssimo comigo, a mesma estatura, o mesmo rosto longo, o mesmo queixo fino. Eu usava óculos e ele não; quando tirou o chapéu para cumprimentar-me, notei que era um pouco mais calvo do que eu. Sua pronúncia invencível de caipira do Kentucky — soube depois que vivera sua infância numa cidadezinha chamada Harrodsburg — não combinava com seus gestos sutilmente efeminados.

"Winner pareceu não ter notado nossa semelhança física. Na verdade, mal olhou para mim. Deu-me o billet onde estava escrito *TRANS-POLAR EXPRESS — Festival International du Roman et du Film Noirs. Billet aller Paris-Grenoble. Départ vendredi 20 octobre à 9H25 Gare de Lyon/Paris — voie no. 5, voiture no. 7, place 104, nom Peter Winner*. Até hoje sei de cor os termos daquele bilhete de trem.

" 'Não trouxe o billet novo', eu disse, embolsando o que Winner me dera, 'ele lhe será entregue na gare.' Antes que Winner dissesse qualquer coisa eu lhe entreguei a velha revista — o tesouro! — que levara comigo. 'Sou um grande admirador seu, isto é um presente, ficará em melhores mãos', eu disse.

"Ele pegou a revista. Quando descobriu o que tinha entre os dedos, seus olhos se arregalaram, suas mãos tremeram, creio mesmo que ficou lívido. Num impulso, que certamente lhe custou muito, devolveu-me a revista dizendo 'não posso aceitar esse presente, o senhor deve ter perdido a razão'.

" 'É sua', eu disse, deixando a revista nas suas mãos e virando-lhe as costas. Abri a porta de vidro do hotel, saí na rue des Saints-Pères e caminhei em direção ao boulevard St. Germain, virei à direita, na esquina do boulevard, sem saber o que fazer, o coração apertado. Meu ardil não dera certo; eu estava certo de que Winner viria atrás de mim, mas ele não viera e ficara com a minha revista. Desgraça! Horror! Eu precisava recuperá-la.

"Desesperado, entrei num restaurante que ficava quase na esquina da rue de Rennes. Pedi uma garrafa de vinho. Bebi sofregamente um copo cheio até a borda.

" 'Posso sentar-me?', ouvi uma voz dizer. Era ele. Com a revista na mão.

" 'Sim', disse eu, levantando-me num salto e puxando a cadeira para ele se sentar.

" 'O amigo', ele chamou-me de amigo, carinhosamente, 'sabe o valor desta revista?'

" 'Sei, só existe um outro exemplar no mundo', eu disse.

" 'Com Henry Glassco Borden, um colecionador de Toronto', ele acrescentou, olhando a revista.

"Pensei que ele ia chorar, mas sua emoção não chegou a tanto, apenas recitou com a voz embargada pela emoção: '*Graham's Magazine*, Philadelphia, abril de 1841, a obra inaugural, *Os crimes da rua Morgue*'. Então esfregou os olhos e disse 'não posso aceitá-la'.

"Peguei a revista e coloquei-a sobre a mesa, entre nós dois. Pedi um copo para ele. Bebemos, em silêncio.

" 'Você de onde é? Seu sotaque não é muito definido.'

" 'Sou de Boston', respondi, 'mas desfiz-me da pronúncia pernóstica dos meus conterrâneos.'

" 'Eu não consegui livrar-me da minha, talvez por ser mais autêntica que a sua... Boston... Que coincidência... Vem daí o seu interesse por ELE?'

"Parafraseei W. C. Fields: 'Pelo que me concerne ELE podia ter nascido em Filadélfia'.

" 'Como a revista chegou às suas mãos?', Winner perguntou.

" 'É uma história tão extraordinária que temos que combinar uma ocasião especial para contá-la.'

" 'Hoje, meu caro, é a oportunidade para isso, estou em suas mãos.'

" 'Hoje não, outro dia... É uma longa história...'

"Ele bebeu e murmurou 'tem que ser uma longa história... *Graham's Magazine*... Isto é um sonho... Inacreditável...'.

"Menti: 'Tenho um exemplar original, de 1848, do ensaio *Eureka*'.

"'Não sou um admirador cego', disse Winner, '*Eureka* é apenas um ensaio místico e pretensioso sobre o cosmos e o engraçado é que, quando terminou de escrevê-lo, Poe afirmou que havia descoberto o segredo do universo; mas, em abril de 1841' — Winner apontou a revista sobre a mesa —, 'ELE não fez nenhuma declaração bombástica e no entanto realizava, com *Os crimes*, esse prodígio: a criação de um novo gênero literário.'

"Bebeu, olhando-me com superioridade por cima do copo. Depois dos arroubos juvenis, mas plenamente justificáveis, ante o *Graham's Magazine*, ele queria pôr-me no meu lugar.

"'*Eureka* não é *apenas* um ensaio pretensioso sobre o universo, nele Poe descobriu a solução do paradoxo de Olbers', protestei.

"'Não deixe o fanatismo prejudicar sua capacidade de julgamento', Winner retrucou. 'Poe foi, quando muito, nesse ensaio, o primeiro a sugerir o conceito de um universo em expansão.'

"Engoli a maneira desaforada com que ele me corrigira. Winner, como ex-professor universitário, provavelmente saberia mais coisas do que eu, um professor ginasiano de Newton, Massachusetts.

"Winner, sem dúvida, me desafiava demonstrando que eu não podia surpreendê-lo, que sabia tudo o que eu sabia, e mais ainda. Portanto, enquanto bebíamos tagarelávamos sobre o nosso ídolo como dois professores que éramos, tentando demonstrar que um era mais erudito do que o outro. Escritores e professores são basicamente pessoas exibicionistas. Do contrário, como suportariam o trabalho que fazem? Eu disse a Winner que escrevia ficção e gostaria de ser um escritor profissional mas que até então jamais fora publicado. 'Só existe uma verdade fundamental sobre o ofício de escrever', Winner respondeu, 'mas eu não vou lhe dizer que verdade é essa, você deverá descobri-la sozinho.' Peço desculpas, querida Clotilde, pela parte que se segue do meu relato, que é muito aborrecida. Porém, sinto-me compelido a contá-la, ainda que não passe de um diálogo arrogante, um desafio infantil de dois homens vaidosos, que lutavam para provar que um era melhor do que o outro, empenhando-se, na verdade, em uma palrice fátua. Você bocejou. Quer que eu pule este pedaço?"

"Não", disse Clotilde. "Que verdade fundamental é essa que o escritor deve conhecer?"

"Você saberá qual é, daqui a pouco. Deixe-me continuar. Sopitei minha ira. Bebemos, como gostam de fazer os escritores. E os professores. Na segunda garrafa de bordeaux, iniciamos uma discussão áspera em torno da concepção de que o romance policial teria sua origem numa fábula oriental milenar, *Peregrinação dos três jovens filhos do rei de Serendip*, reelaborada por Voltaire em *Zadig*.

" 'Pode existir aí, realmente', disse Winner, 'um modelo epistemológico, ou paradigma indiciário, como prefere Ginzburg, mas os filhos do rei, ao fazerem descobertas analisando a natureza das relações entre determinados indícios, podiam estar, se tanto, inventando a semiótica.'

"Acrescentei, com um ostensivo sorriso irônico: 'além de dar a Walpole a oportunidade de cunhar um neologismo engraçado, serendipity'. E aduzi que se fôssemos fazer especulações com aquela largueza, numa regressio ad infinitum, possíveis origens embrionárias do romance policial também poderiam ser encontradas nos profetas bíblicos, nos textos pertencentes aos *Apocrypha*, ou nas *Mil e uma noites*, as quais, por seu turno, segundo estudo de uma pesquisadora do Instituto de Estudos Orientais da Universidade de Oxford, teriam sido copiadas de Homero e de lendas mesopotâmicas; ou, mais proximamente, a inspiração do romance policial poderia ser encontrada em Boccaccio, ou em Chaucer — muito antes do *Zadig*.

"Winner emborcou todo o vinho do copo, num sôfrego e longo gole. Perguntei-lhe se não achava interessante a epígrafe escolhida por Poe para *Os crimes*, uma reflexão de sir Thomas Browne, um médico e escritor do século XVII, precoce praticante da semiótica médica. Você, Clotilde, conhece a epígrafe de Browne? *Que canto entoam as sereias ou que nome Aquiles adotou quando se ocultou entre as mulheres são questões que, conquanto enigmáticas, não estão além de todas as conjecturas.* Conhece?"

"Hum... Não...", responde Clotilde.

"Winner rebateu a menção que fiz à epígrafe de Browne dizendo ser óbvio que não existiam pistas impossíveis de serem decifradas, como afirmava um outro médico, mais famoso, Freud, leitor e admirador de Conan Doyle; e por falar em Freud, continuou Winner, 'não mantenho uma conversa tão agradável e estimulante desde o tempo em que morei em Viena, e costumava passar as noites nos cafés em longas discussões filosóficas'.

" 'Muito obrigado', respondi.

" 'Há qualquer coisa nos cafés de Viena...', disse Winner, olhando para o teto.

"Deixei que ele rememorasse os cafés de Viena algum tempo.

" 'Li nos jornais que você irá falar sobre Poe, no Festival de Grenoble.'

" 'Sim, sim', ele disse, 'mas não falarei exatamente sobre Poe; este festival, como todos os festivais, espera que você fale superficialidades; na verdade, não me apresentarei pessoalmente, alguém lerá para mim o que pretendo dizer, o que evidentemente não será a afirmativa sovada de que o roman noir, novela negra, kriminal roman, romance policial, romance de mistério ou que nome possua, teve suas regras simples estabelecidas por Poe ao publicar *Os crimes*, nessa mesma revista que temos à nossa frente: um crime misterioso, um detetive — Dupin, no caso de Poe — e uma solução. Nem falarei nas duas grandes correntes derivadas da obra do grande inventor: a inglesa e a americana; ou seja, desprezarei esses fatos conhecidos até das pessoas que apenas vêem televisão.'

" 'As pessoas gostam de ouvir coisas que já sabem', eu disse, 'ouvir músicas que já ouviram; mas uma coisa que me intriga, e deve intrigar a todos, é a razão pela qual você decidiu comparecer a um congresso ou festival pela primeira vez na sua vida.'

"Ele pensou um pouco e disse que sua ida tinha várias razões, a primeira, e menos importante, aproveitar a oportunidade para provocar os franceses com uma pergunta cuja resposta não era tão fácil de responder quanto parecia.

"Winner iria indagar, no festival, desafiando, por que não havia surgido, no roman noir, uma corrente francesa, com peculiaridades próprias e com importância idêntica às correntes de língua inglesa? Afinal as *Memórias*, do francês François Vidocq, de 1828, anteriores portanto ao livro de Poe, só não haviam inaugurado o gênero por não serem uma obra de ficção; e o primeiro seguidor notável (efeito Baudelaire?) de Poe foi o também francês Émile Gaboriau, com *O caso Lerouge*. 'Por que', Winner tornou-se ainda mais enfático ao fazer esta pergunta, 'por que o famoso detetive Lecoq, criado por Gaboriau, não deixou uma boa descendência? Reconheço', continuou, 'que os franceses, conquanto medíocres praticantes do gênero — Simenon é uma exceção não muito brilhante —, são inteligentes exegetas e entusiasmados consumidores; eles decidem quem faz, ou não, parte do clube. Por exemplo, Walpole, que escreveu *O castelo de Otranto* em 1746, considerado por alguns estudiosos equivocados como o iniciador do romance negro, quando na verdade é um dos precursores da novela gótica, não entra no clube. O Umberto Eco, de *O nome da rosa*, entra. Mas por que não surgiu uma corrente verdadeiramente francesa? Por que eles insistem em imitar os americanos? Em dar importância a Goodis e outros analfabetos? Sabe de uma coisa?', Winner segurou meu braço com força, 'Foram os franceses que difundiram esse gossip nojento de que eu seria um homossexual. Odeio os franceses, os chaufeurs de táxi primeiro, depois os críticos. Estes últimos, aliás, de todas as nacionalidades.'

" 'E a segunda razão?', perguntei.

" 'A segunda razão é que estou acabado. Não consigo mais escrever e, se conseguisse, não teria coragem de publicar. Devo estar muito bêbado para fazer essas confidências a um desconhecido, mas somos americanos, que diabo, se eu não confiar em um patrício, em quem poderia confiar? O escritor', ele suspirou, quando não consegue mais escrever, comparece a congressos, instiga os outros a lhe prestarem homenagens, a organizarem banquetes glorificantes, busca medalhas, prêmios, coroas de louros, edições comemorativas.'

" 'Você falou em várias razões para comparecer ao festival, há uma terceira?', perguntei.

"Ele riu, misterioso: 'Sim, mas eu não lhe direi qual é... Algo que impediu que eu me matasse...'

"Essa foi sua última tirada compreensível. Com uma subita-neidade de relâmpago, Winner, completamente embriagado, pas-sou a tartamudear frases desconexas, misturando reminiscências de Viena com poemas de Poe, recordações de alguém que ele ama-va, ou amara, com declarações sobre a falta de respeito — de lei-tores, jornalistas e críticos — ao direito à privacidade dos artistas. E disse o nome de uma pessoa, um nome de homem. Sandro.

" 'Vamos ao meu hotel, quero lhe dar o exemplar de *Eureka*', eu disse. Mas eu podia ter feito qualquer outro convite, pois Winner nada ouvia ou não estava interessado em ouvir outra coi-sa que não fossem as vozes interiores das suas reminiscências.

"Fomos de táxi para a rue St. André des Arts. Winner, sur-preendentemente, caminhava sem dificuldade, apenas se apoian-do com força no meu braço. Como não havia entregue na porta-ria, ao sair, a chave do quarto, não precisei pedi-la, pois estava no meu bolso. Fomos para o elevador, sem chamar a atenção de ninguém. Entramos no quarto. Eu tinha uma garrafa de champa-nha na geladeira. E possuía, num frasco dentro da mala, uma quan-tidade de veneno que era suficiente para matar uns dez escrito-res, por mais famosos que eles fossem. O champanha e o veneno eram para matar você, Clotilde, a editora que recusara meu livro, o livro de John Landers."

"Meu Deus, isso que você está me contando é verdade! Pen-sei que era ficção", diz Clotilde, "mas seu corpo nu está dizendo que tudo é verdade."

"Perdeu a coragem para ouvir até o fim? Você não queria ou-vir o meu segredo? Então cale-se, e ouça."

Clotilde sai da cama, senta-se na poltrona do quarto, de boca aberta, pasma.

"Mas o destino me oferecera uma oportunidade de dar um melhor uso à estricnina do frasco. Coloquei, dissimuladamente, um pouco do veneno na taça e dei-a a Winner.

" 'A Edgar Allan Poe', brindei.

" 'A Poe', respondeu Winner, sorvendo de um gole todo o conteúdo da taça.

"Pensei que Winner mostraria imediatamente os estertores dos moribundos. No entanto, o veneno pareceu tê-lo curado da bebedeira, pois ele voltou a falar de maneira lúcida e articulada. 'Quando publiquei meu terceiro romance pela Grasset', disse Winner, 'os franceses incluíram-me no clube, o que significa convites para participar deste festival que ocorre todos os anos em Grenoble. Para mostrar o tipo de critério adotado pelos franceses, entre os convidados deste ano estão alguns escritores que não costumam ser identificados como autores de romances policiais, como Vaclav Havel, Umberto Eco, Howard Fast, para citar apenas alguns. Creio que parte ponderável da minha literatura também não se enquadra nas normas do gênero.'

"Que porcaria de veneno era aquele?, pensei, já começando a entrar em pânico.

" 'Menciono, querido amigo, com certo constrangimento', continuou Winner, 'essa opinião pessoal sobre meu trabalho, algo que detesto fazer, para poder referir-me a um artigo que li não me lembro onde, em que o crítico afirmava que meus primeiros livros, com seu conteúdo de violência, corrupção, conflitos sociais, miséria, crime e loucura, podiam ser considerados verdadeiros textos de romance negro, ao contrário dos escritos por certos autores ingleses, acusados pelo crítico de fazerem littérature d'évasion; do meu ponto de vista os integrantes da escola inglesa fazem algo que pode ser melhor definido como littérature d'énigme, direi isso, quando chegar a Grenoble.'

"Winner cambaleou e abraçou-se a mim. 'Você é um bom sujeito, vou lhe dizer a verdade fundamental que todo escritor cedo ou tarde tem que descobrir. Ouça, meu amigo, guarde isto: as palavras não são nossas amigas. Uma verdade simples: as palavras são nossas inimigas. Eu descobri tarde demais.'

"Felizmente naquele momento Winner levou as mãos à garganta e caiu ao chão, tremendo convulsivamente. Como acontece nas óperas, ele somente morreu depois de cantar sua ária por inteiro."


Confusa, Clotilde sabe agora, tem certeza, que Peter, John, este homem ao seu lado, seja qual for o nome dele, está afinal contando O seu segredo terrível, conforme prometeu. Sai da cama e tranca-se no banheiro.

Peter Winner, aliás John Landers, bate de leve na porta.

"Volta aqui, Clotilde, você disse que queria ouvir meu segredo. Agora terá que ouvi-lo até o fim."

Clotilde depois de algum tempo abre a porta. O homem a agarra pelos braços ossudos e a leva de volta para a poltrona do quarto.

"Não quero me sentar. Vou ficar fazendo ginástica." Clotilde faz várias horas de ginástica por dia, todos os dias da semana.

"Posso continuar? Agora não posso parar. Por favor."

A voz do homem, para Clotilde agora um homem diferente, um desconhecido excitante, soa tão delicada e atraente, e o rosto dele sugere enigmas tão irresistíveis que Clotilde, enquanto faz seus exercícios abdominais deitada no chão, sente um frisson erótico perpassar seus músculos e suas vísceras. "Sim, continue."

"Ao verificar que Winner havia realmente morrido, despi-o completamente. Em seguida desnudei-me também. Ali estava eu, nu, com um homem morto também nu, e era a nossa nudez que tornava irreal, como um sonho, ou um pesadelo, aquela situação, não a circunstância de eu ter acabado de me tornar um assassino. Eu tinha que vestir a roupa do morto, mas não consegui colocar a cueca dele, uma sunga preta, senti nojo, e voltei a vestir a minha, uma cueca branca comum. Nos bolsos do morto, agora vestido com minhas roupas, ficaram o meu passaporte e a carta de Clotilde Farouche, a sua carta, desculpando-se em nome da Grasset por não editar o meu livro. Nos bolsos do paletó preto de Winner, que eu passara a vestir, estavam o passaporte e outros documentos do morto, uma carteira com cartões de crédito, um talão de cheques do Chase Manhattan Bank e um maço grosso de traveller's cheques, notas de cem dólares, num total de dez mil. Apanhei papel de carta do hotel e escrevi meu bilhete de suicida, em francês. Uma coisa simples, como deve ser a despedida de um escritor fracassado, que tem os originais dos seus romances recusados por todas as editoras: *Je soutenais l'éclat de la mort toute pure. Un homme mort n'est qu'un homme mort, et ne fait point de conséquence. Adieu. John Landers.* O primeiro período era do Valéry. O segundo, do Molière. O adieu era meu mesmo. Coloquei o bilhete sobre a mesa de cabeceira, junto com as chaves do hotel. Eu havia, por momentos, pensado na possibilidade de encontrar uma maneira de deixar o quarto trancado por dentro, sempre gostei das histórias em que o morto está dentro do quarto fechado por dentro, como *Na pista do alfinete novo*, de Edgar Wallace, mas não tinha nem um fio nem um alfinete comigo para poder fazer o truque do livro. A última coisa que fiz foi colocar meus óculos no rosto de Winner. A única imprevidência, o único erro que cometi foi manter comigo o frasco com o resto do veneno quando o certo seria deixá-lo ao lado do corpo; mas essa anormalidade não foi percebida pelos policiais que investigaram o suicídio; e afinal me foi muito útil, posteriormente, como você, um dia, talvez venha a saber."

"Onde está esse frasco?", pergunta Clotilde.

"No meu bolso. Carrego ele sempre comigo. É um pequeno vaso negro de cristal. Muito bonito."

"Me mostra", diz Clotilde.

Landers tira o frasco do bolso.

"O veneno que você guarda aí ainda está destinado a mim?"

Winner leva o frasco à boca e suga o seu bocal.

"Não, não", grita Clotilde agarrando-se a ele.

"Está vazio. Eu o guardo comigo como se fosse um talismã, para dar sorte."

Faz uma pausa, pensativo.

"Ou então, ou então... eu o guardo porque... Ora, deixe-me continuar minha história infame.

"Paramentado com as roupas escuras do grande escritor, inclusive seu sobretudo negro e o chapéu de feltro também negro, olhei-me no espelho. Se alguém me visse sair pensaria que aquele homem soturno era o próprio Winner. Apanhei na mala o manuscrito do meu segundo romance, que eu não pretendia submeter, como fizera com o primeiro, ao exame da Grasset, mas que agora, graças ao crime perfeito que cometera, seria entregue a você, Clotilde, como se fosse de Winner — e saí do quarto. Para minha sorte o homem da portaria nem sequer me olhou. Landers, o pobre escritor que tivera seu livro recusado pela Grasset, estava seguramente morto no seu quarto. Un homme mort n'est q'un homme mort, et ne fait point de conséquence. Todo vestido de negro, dirigi-me ao Hotel des Saints-Pères. Na portaria, um homem de meia-idade, arrogante e grosseiro, cheio de empáfia. Essas pessoas costumam ser exibicionistas e pouco perspicazes. Pedi a chave do quarto, dizendo meu novo nome. Com a chave, recebi uma mensagem telefônica. Fingindo ler o bilhete, verifiquei o número do quarto numa pequena plaqueta anexa à chave: 202. Provavelmente segundo andar. Sentei-me numa cadeira do lobby, olhando dissimuladamente o que havia em torno, procurando descobrir o elevador, agora lendo realmente o bilhete: *Estaremos juntos no trem. Estou ansiosa por conhecê-lo. Clotilde F.* Por alguns instantes meditei, satisfeito: Clotilde não conhecia Winner. Excelente. Seguindo as andanças de um hóspede pude afinal achar o elevador, quase escondido num desvão. Chegando ao, agora, meu quarto, abri a mala de Winner e examinei as roupas e os papéis numa pequena pasta de papelão. Durante as longas falas de Winner bebendo vinho, eu pudera estudar-lhe os gestos, as inflexões de voz. Ao falar, Winner levava a mão direita — nunca a esquerda — crispada à frente do rosto, como se estivesse agarrando e virando pelo avesso as palavras que dizia. Também tinha o vezo de passar a unha do polegar da mesma mão direita em cima do lábio superior. O difícil, para mim, foi imitar o sotaque matuto de Winner. Fiquei em frente ao espelho ensaiando os gestos, enquanto lia os papéis ou repetia as frases que me lembrava de Winner ter dito. Li, nos papéis, uma das frases que eu achara bastante interessante para uma conversa de bar, supondo, é claro, que tivesse sido elaborada naquele momento. Na verdade, Winner a havia decorado: 'Pode existir aí, realmente, um modelo epistemológico, ou paradigma indiciário' etc. etc. Também as referências ao Horace Walpole, aos profetas bíblicos, *Zadig* etc. etc. estavam anotadas em folhas de papel pautado. O resto da noite — pois não dormi um segundo — passei imitando a assinatura do passaporte de Winner.''


''Acho melhor pedirmos outra garrafa de champanha'', diz Clotilde. Olha o homem à sua frente como se o estivesse vendo pela primeira vez.

''Você não quer ouvir mais?''

''Não sei. Vamos tomar champanha primeiro.''

O garçom traz o champanha. Ficam bebendo em silêncio.

''Você não se arrependeu desse pecado?''

"Sou ateu e cruel, você sabe disso."

"Matar uma pessoa é também um crime odiento."

"É verdade. Mas não estou arrependido."

"Mentiroso", grita Clotilde. Atira-se sobre Landers, desfere-lhe socos e pontapés.

"Se você não se arrependeu, como posso perdoá-lo?", diz Clotilde chorando, sem parar de desferir socos.

A agressão de Clotilde deixa Landers, momentaneamente, sem palavras.

Clotilde tira um vestido da mala. Veste-se.

"Aonde você vai?"

"Vou ao cinema. Não sei se volto. Estou muito perturbada."

Logo que Clotilde sai Landers pega a pasta de papelão com anotações, os prolegômenos apodíticos de Winner, que ainda guarda consigo. Já se passaram dois anos e ele não consegue destruir estes papéis.

Não há novidades, para Landers, nas observações de Winner. Intriga-o o ódio que Winner sentia por Stout... Ele, Landers, também detesta Stout, mas seu motivo é diferente do de Winner. Ele inveja Stout porque Stout vendeu mais de cem milhões de exemplares de seus livros. Stout está morto mas a inveja continua. As razões de Winner estão registradas nos apontamentos: "Stout", ele escreveu, "criou um pastiche vulgar de Conan Doyle, com uma dicção diluída de Hammett. Nero Wolfe, seu personagem, é um gordo arrogante cheio de empáfia que passa o tempo cuidando de orquídeas, essa flor horrenda que vale apenas pela relativa raridade. Archie Goodwin é um fâmulo idiota sem caráter, indigno do seu modelo, o dr. Watson".

Engraçado, Winner não gostar de orquídeas, pensa Landers; ele tem a impressão de que os homossexuais adoram orquídeas. Stout é tudo aquilo que Winner disse dele; nos livros medíocres de Stout, Landers encontrou apenas uma boa frase, para um autor policial: "Se tivermos que julgar um homem por um único ato, e se pudéssemos escolher esse ato, deveríamos avaliar a maneira como ele se olha no espelho".

Clotilde saiu sem nada levar com ela. Só com a roupa do corpo uma mulher não vai muito longe.

Lembra o primeiro encontro que teve com Clotilde, poucas horas depois ter matado Winner.

Dois anos se passaram. Ele chegou à gare de Lyon por volta de nove horas. O Trem Negro esperava por ele. Uma mulher, na entrada da plataforma, lhe deu uma pasta negra com papéis e colocou um crachá com o nome de Winner no seu peito, que ele retirou ao entrar no trem. Às nove e vinte e cinco em ponto, o Trem Negro, lotado de autores, críticos, editores, jornalistas e publicitários, partiu da gare. Quase todos usavam o crachá com o nome escrito em letras negras. Landers, na janela, fingia olhar a paisagem francesa daquele outono. Na verdade, observava dissimuladamente as pessoas que iam e vinham, sentavam e levantavam, tentando exibir nervosamente inteligência e sabedoria, afinal eram intelectuais, enquanto diziam tolices. Como esses cretinos e essas cretinas haviam conseguido publicar os seus livros enquanto ele continuava um escritor inédito? A Grasset, que publicava um monte de mediocridades, não queria publicar o seu romance. Na verdade, não havia mais editoras independentes, todas integravam grandes conglomerados financeiros controlados por estúpidos self made men que haviam ganho dinheiro de maneira selvagem e inescrupulosa e encaravam o livro como uma mercadoria qualquer. Naqueles dias, mesmo com a irresistível força do ressentimento que o dominava, Kafka não conseguiria ser publicado, nem Poe, nem Baudelaire, nem nenhum autor novo realmente significativo, como ele, Landers, por exemplo. Imerso em seus pensamentos rancorosos não percebeu, de imediato, uma pessoa sentar-se ao seu lado. Uma jovem bonita, de olhar arguto.

"Você é mr. Winner?", ela perguntou.

"Não sei quem é essa pessoa."

Ela riu, com bom humor. "Você é Winner. Mostre-me seu crachá."

Ele tirou o crachá do bolso, com o nome de Winner.

"Eu sabia. Sou Clotilde Farouche."

Landers não conseguiu dominar o tremor que por momentos dominou seu corpo. Clotilde F., a editora da Grasset que recusara seu livro! Procurou disfarçar seu embaraço com uma brincadeira: "Pensei que você era gordinha como a Clotilde do Auguste".

"Nem gordinha nem positivista... Não sabe o prazer que sinto em conhecê-lo. Trocamos tantas cartas..."

"O prazer é meu."

"Estamos ansiosos, na Grasset, pelo seu próximo livro..."

"Não seja por isso."

Entregou os originais para ela.

"*Romance negro*... Você sabe como gosto de dar sugestões sobre os títulos dos seus livros... Lembra quantas cartas tive de escrever até você aceitar mudar o título do último?"

"Este é sobre a minha vida."

"Não acredito. O que é bom nos seus livros é que você nunca escreve exatamente sobre sua vida. Como disse Gide" — eles conversavam em inglês, a frase de Gide foi dita em francês — "le romancier médiocre fait ses romans d'après sa vie réelle, le bon d'après ses vies possibles. Você está definitivamente entre os *bons*."

Ele pensou, enquanto ouvia Clotilde, que se escrevesse objetivamente o que acontecia naqueles dias, e publicasse, seria uma história que, apesar de real, certamente despertaria o maior interesse do leitor. Inventar o real, tornar verdadeira uma vida falsa, ou, mais relevante ainda, falsa uma vida verdadeira, era uma bela tarefa para um escritor.

"A parceria do escritor com o leitor é menos importante do que sua convivência com o personagem", disse Clotilde, "mas vocês não podem revelar isso aos seus leitores, eles têm que se sentir co-autores da história que estão lendo."


Mas na verdade, Landers pensa agora, um relato sobre o assassinato de Winner, se fosse publicado, suprimida a pedante parte professoral, seria lido com atenção não pela cumplicidade entre ele e o leitor, mas, principalmente, pela secreta simbiose corrupta existente entre autor, ele e personagem, ele também.

Sua mente divaga. Afinal, por que e para que escrever? Lembra-se de Broch e Canetti conversando: "Será que é tarefa do escritor trazer mais medo a este mundo? Será este um propósito digno do ser humano?".

Sim, sim, o objetivo honrado do escritor é encher os corações de medo, é dizer o que não deve ser dito, é dizer o que ninguém quer dizer, é dizer o que ninguém quer ouvir. Esta é a verdadeira poiesis.

"Eu matei Peter Winner! Ouviu Clotilde?!", grita Landers, dentro do quarto.

Nesse instante Clotilde bate na porta.


Clotilde entra e senta na poltrona do quarto, confusa.

"O que você estava gritando?"

"Que matei Winner."

"Estou atordoada. Você está dominado pelo espírito doentio de Poe. Mas fique sabendo: *Os crimes da rua Morgue* é o conto mais idiota que já li em toda a minha vida."

"Não diga uma coisa dessas", retruca Landers, infeliz.

"O criminoso é um macaco, um animal sem o livre-arbítrio, essa característica que dá profundidade aos atos dos grandes criminosos."

"Você está querendo me punir com essas palavras", diz Landers. "Não encha meu coração de desgosto."

"Um ser inimputável", continua Clotilde, "um agente inconsciente do mal. Que merda de paradigma é este? Além de tudo, é um conto entediante, com personagens aborrecidos, inclusive o Daupin. O Dalgliesh tem mais charme do que Daupin, até o chato do Poirot e o grosseiro Maigret têm mais encanto do que Daupin. Detesto e desprezo esse texto ingênuo, idiota, artificioso, grotesco, simiesco. Poe devia estar bêbado quando o escreveu."

"Então era esse o seu execrável segredo... Você odiava Poe e não tinha coragem de me contar", diz Landers, abatido.

"Não, não é esse o meu segredo."

"Não? Há algo ainda pior, ainda mais horrendo que você possa me dizer?"

"Muito pior."

"Não quero ouvir."

"Ouça a minha história, covarde."

"Preciso de mais champanha."

A garrafa chega. Landers enche as taças.

"A Poe", diz Landers.

"À lucidez", responde Clotilde.


## O SEGREDO DE CLOTILDE

"Naquele encontro no trem", diz Clotilde, "você me deu seu livro e eu o li durante a viagem. Fiquei maravilhada. Era um novo Winner, pensei, sim, um novo Winner, os críticos tinham razão, você havia conseguido a façanha de escrever um romance diferente dos outros. Aos quarenta anos, depois de um romance fracassado, deixava para trás as fórmulas que manipulava com grande mestria e criava uma coisa inteiramente nova. Eu devia ter desconfiado de que o homem não era o mesmo. O que foi que você fez com o romance que eu recusei? *O quarto fechado*."

"Queimei."

"Que pena. Não devo tê-lo lido com atenção. Mas na suposição de que *Romance negro* era de Winner tive paciência para superar as estranhezas, as rupturas, as anormalidades, os desusos, as singularidades. Me apaixonei pelo livro. E depois, o mesmo aconteceu com os críticos e com o público."

"Os críticos... Mary McCarthy tem razão: são os maiores inimigos dos leitores."

"No seu caso não. Eles elogiaram, aclamaram, prestaram todos os tributos possíveis ao *Romance negro*."

"Mas se o autor fosse John Landers esses coveiros diriam apenas R.I.P."

"Fui para a cama com você por causa do *Romance negro*. Casei-me com você por causa do *Romance negro*. Você não queria casar comigo, disse, grosseiramente, que se acostumara com os confortáveis prazeres desalinhados que prostitutas e mulheres ocasionais lhe propiciavam e não via um motivo racional para alguém se casar."

"Continuo pensando assim."

"Então por que se casou comigo?"

"Por causa dos seus ossos. Eu só havia encontrado uma mulher tão ossuda assim na minha vida, uma búlgara chamada Sonia, que jogava basquete."

"Por causa dos meus ossos."

"Sim. Por causa do seu esqueleto."

"E minha inteligência? Minha sensibilidade? Minha cultura?"

"Isso vale muito pouco."

"Por que você não casou com a búlgara?"

"Não sei. Talvez ela não quisesse casar comigo. Um professor pobre e meio calvo... Ela possuía bastos cabelos negros descendo pela nuca até o ânus. E as axilas, e o púbis —"

"Chega."

"Bem, agora já contamos nossos segredos. Tenho ainda outros", diz Landers.

"Não, não contei ainda o meu segredo. Detestar Poe não era um segredo, sempre dei a entender que o achava um escritor menor. Meu segredo é outro."

"Basta de heresias. Conta o seu segredo."

"Um dia, na cama, decidimos que nos casaríamos e você perguntou minha idade. Eu disse que tinha, como você, quarenta anos."

"Estou ouvindo."

"Mas eu tinha cinqüenta anos."

"Mas eu vi seus papéis, certidões, passaporte."

"Falsifiquei tudo. Me custou uma fortuna. Eu tinha medo que você não se casasse comigo sabendo que eu tinha dez anos mais que você."

"Então você tem cinqüenta e dois anos..."

"Você se casaria comigo sabendo que eu tinha dez anos mais?"

"Agora sei por que você parece um lagarto. Nos velhos animais magros como você a pele estica, como nos lagartos de qualquer idade, a pele fica solta sobre os ossos. Mas a sua é suave como papel couché."

*173*

"Merda, você se casaria ou não?"

"Sim. Sua idade não me interessa. Por enquanto, pelo menos. E você? Se incomoda de eu ser um assassino?"

"Você disse que o veneno que usou para matar Winner era originalmente destinado a mim. Você teria coragem de me matar?"

"Depois de nos conhecermos, não."

"Era fácil encontrar prostitutas tão magras quanto eu?"

"Era difícil."

"E você, quando as encontrava, lambia e mordia os ossos delas?"

"Tinha vontade mas não tinha coragem. Como disse, temia que me achassem ridículo."

"Nem os ossos da búlgara?"

"Nem os da búlgara. Como disse, tinha medo que rissem de mim."

"Nós mulheres não temos esse medo."

"Tira a roupa."

Clotilde tira a roupa.

"Meu coração está batendo forte", ela diz.

"Estou ouvindo."

Deitam-se.

"Como você está me vendo agora?"

Landers agarra, como quem segura a pele do pescoço de um gato para levantá-lo do chão, a pele complacente do tórax de Clotilde e suspende o seu leve corpo alguns centímetros acima da cama.

"Com novos olhos e novos tatos."

"Preciso ver um lagarto. Nunca vi um, de perto", diz Clotilde.

Enquanto morde o cotovelo de Clotilde, Landers pensa nos seus outros segredos, que ele considera tão terríveis ou ainda mais atrozes do que o desvendado; mas acha conveniente deixar essas revelações para outra oportunidade.


No stand da Grasset as pessoas fazem fila com um exemplar do *Impostor* na mão. Landers apenas escreve no livro, como dedicatória, o nome Winner — um dáblio seguido por uma linha de estreita sinuosidade com um pingo no meio. Alguns escritores

174

aparecem para pedir seu autógrafo. No exemplar de Ellroy, além do nome Winner, Landers escreve HOWL HOWL HOWL, em letras garrafais. Na fila, logo depois de Ellroy, está o homem do cachimbo, de quem Landers zombou durante o debate do dia anterior. O homem tem um ar bovino simpático. Landers decide personalizar o autógrafo.

"Como é o seu nome?", pergunta.

O sujeito hesita.

"Papin... Inspetor Papin", diz o homem. Coloca o cachimbo na boca; morde o tubo onde podem ser vistas marcas de dentes. Sorri?

*Papin: whodidie?*, escreve Landers.

"Obrigado, mr. Winner", diz Papin, pronunciando o nome de maneira oxítona. Acrescenta: "Vou tentar descobrir, participar da brincadeira. Nós policiais temos tão pouca oportunidade de diversão...".

Olhando bem, Papin lembra a Winner, agora, mais um bulldog do que um boi. Será o modo de o inspetor morder o cachimbo que suscita essa imagem?

"O criminoso está aqui à sua frente", diz Landers.

"Também a vítima?"

"Não dê ouvido aos críticos", diz Landers.

"Mas foi uma observação inteligente, aquela..."

"Apenas astuta."

O sujeito atrás de Papin na fila resmunga. O policial desculpa-se e afasta-se.

Os livros de Winner acabam. Um dos funcionários da editora diz que mandou apanhar outros exemplares numa livraria da cidade, mas Landers responde que a sessão de autógrafos terminou. Pessoas da fila protestam. Mas Landers sai da mesa e retira-se do cavernoso salão do festival.


Nesta noite, em vez de ir com Clotilde a um jantar do programa social do festival, ele fica no quarto do hotel, olhando a TV, de onde cortou o som: pessoas gesticulando e abrindo e fechando a boca, arregalando os olhos. Pensa na fama, essa puta cadela.

*175*

Que diferença faz para ele se sua glória, que o fez merecer uma limusine especial, foi em parte roubada de Winner? Existe uma fama legítima? Ou são todas espúrias? Quando seu livro foi publicado com o nome de Winner pela Grasset e recebido com aclamações, estava ele acrescentando algo à fama de Winner, ou à dele, Landers? Quem é William Shakespeare: Francis Bacon, Christopher Marlowe ou o zé-ninguém William Stanley? Isso interessa a alguém, a não ser a meia dúzia de professores que não têm o que fazer? Homero existiu? Isso tem importância ou é uma questão ridiculamente bizantina? Quem é Winner? Agora é ele. Enquanto for vivo isso poderá ter alguma solerte relevância, ele poderá regozijar-se com a glória. Depois de morto, a imortalidade? Esse ideal doentio?

Que inquietação o faz andar pelo quarto, rejeitar a embriaguez do champanha? Pela primeira vez cogita da hipótese de que, ao matar Winner e apossar-se do seu nome, na verdade ele matou Landers; deixou que Winner se apoderasse dele. Winner, o grande escritor decadente, ficou mais vivo depois de morto. Landers escreve para Winner. Quem se apoderou de quem? O vivo do morto, ou o morto do vivo?

Quando Clotilde chega, ele finge que dorme. Ela deita-se ao seu lado e em pouco tempo Landers ouve a respiração ossuda delicada da mulher. Que maravilha são as mulheres que têm principalmente ossos no corpo! A presença da mulher o ajuda a suportar a noite de febre e pesadelos que o acordam intermitentemente, molhado de suor e angústia. Entre as vigílias e os sonhos aflitivos desenvolve seu plano, que dará mais fama a Winner. Ou dará vida a Landers? Ainda não se decidiu.

De leve toca no ombro de Clotilde.

"Clotilde, acorda, quero te contar meu outro segredo."


## O SEGUNDO SEGREDO DE JOHN LANDERS

"Voltemos ao primeiro festival a que compareci, naquele outubro há dois anos, quando matei Winner", diz Landers.

Clotilde senta-se, desperta, no sofá da suíte do hotel.

176

"Não quero ouvir teu outro segredo, isso está me deixando nervosa", diz Clotilde.

Como sempre, eles falam ora em inglês, ora em francês. Essa alternância depende do grau de eloqüência que querem atribuir às respectivas palavras. Ainda que os dois sejam bilíngües, há uma língua preponderante para cada um deles.

"Você me ama?", ele diz.

"Sim, eu te amo. Mas não quero penetrar nas trevas do teu coração."

"Não faça literatura piegas comigo. Além do mais, detesto Conrad", diz Landers. "Ouça. Logo depois que você saiu de perto de mim naquele dia, há dois anos, no Train Noir, para ir ao vagão restaurante comer —"

"Você não quis ir comigo, disse que não sentia fome e quando me ofereci para trazer qualquer coisa para comer você disse traga champanha."

"Eu disse isso? Nem me lembrava. Enfim, tão logo você saiu um jovem sentou-se no lugar desocupado, ao meu lado, olhou-me nos olhos, colocou a mão no queixo — além de ter o gesto, possuía aquele cabelo revolto do Rimbaud pintado por Fantin-Latour no *Un coin de table* — e sussurrou, em italiano, 'Pete, ainda sou o seu grande amor?'. Sua mão acariciou de leve minha perna. Fiquei paralisado. 'Agradeço seu sacrifício', continuou o rapaz, 'não sabe o quanto eu o amo ainda mais por isso tudo que você está fazendo apenas para atender a um capricho meu.' Veio à minha mente o que Winner me dissera momentos antes que eu o matasse: que ele tinha uma doce razão, entre outras azedas que mencionara, para ir ao festival. E o nome Sandro fora por ele pronunciado. Aquele rapaz ao meu lado devia ser Sandro. Deixei que enfiasse os olhos nos meus, ele parecia gostar de fazer isso, tinha olhos azuis rutilantes, provavelmente Winner lhe dissera que amava seus olhos. Eu disse: 'Sandro, Clotilde Farouche está no trem'. 'Quem é Clotilde Farouche?', ele perguntou. 'A minha editora', respondi, 'eu te falei nela, não falei?, ela é uma bruxa.' 'Ah, sim, aquela vaca', disse ele."

"Você me chamou de bruxa? Ele me chamou de vaca?", protesta Clotilde.

"Eu queria falar o mínimo possível com Sandro, com medo que ele estranhasse qualquer coisa na minha prosódia, com medo que pudesse perceber as disparidades articulares entre a minha fala e a de Winner; a do morto, além do mais, tinha um certo drawl que eu conseguira reproduzir na frente do espelho — tenho um ouvido muito bom para ritmos, como aliás todo bom escritor — mas o meu nervosismo, então, me fazia falar depressa; a suavidade dos erres adquirida na minha infância na Dartmouth Street, onde fui criado pelos meus pais adotivos, perto da Copley Square, ao lado da biblioteca pública que freqüentei diariamente até acabar minha triste adolescência, ameaçava me denunciar irremediavelmente. Ninguém conhece a voz do outro tão bem quanto um amante. Sandro falara comigo em italiano e eu respondera em inglês. Talvez Winner soubesse italiano e, nesse caso, por que não respondera eu em italiano? Eu não sabia o que fazer. A mão de Sandro subiu carinhosamente na direção da minha virilha, o que me encheu de pânico. 'Você ainda me ama?', perguntou. 'Aqui não', eu disse, 'no hotel, vamos conversar no hotel.' Felizmente nesse momento você chegou com a garrafa de champanha."

"Estou me lembrando", diz Clotilde. "Quando me aproximei, um garoto magro e pálido levantou-se apressadamente da poltrona ao seu lado e eu perguntei a você quem era e você respondeu que era um admirador que fora lhe pedir um autógrafo."

"Sandro não demorou muito a me procurar no meu quarto. 'Nossos planos estão de pé, não estão?', disse ele. Em seguida fechou as cortinas da janela e tirou a roupa com destreza, ficando inteiramente nu. Em menos de vinte e quatro horas eu contemplava o corpo nu de um segundo homem, eu, que nunca vira um homem nu na minha vida. Tirei os olhos da nudez dele como quem afasta os olhos da chama azul de um maçarico. 'O que está esperando?', ouvi Sandro dizer. Ele se aproximou de mim e, antes que eu pudesse me defender, beijou minha boca. Afastei-me como alguém que tivesse sido atingido pelo deslocamento de ar de uma forte explosão. Vi seus olhos azuis transparentes de inocência se encherem de argúcia. 'Por que você não está usando o seu perfume?', ele perguntou. Você sabe, Clotilde, que tenho um nariz péssimo, lembra-se do dia em que comi uma terrine de pâté estragado porque não sentira seu odor mefítico?"

"Eu sei, eu sei. Você vive dizendo que minha vagina não tem cheiro. Que minhas axilas não têm cheiro. Isso no princípio me incomodou um pouco, uma mulher sem cheiro é como uma boneca e temi que você me visse como uma Copélia, você me dissera gostar de Hoffmann e havia algo de mecânico na sua maneira de fazer amor comigo e tudo isso me deixou apreensiva. Mas já passou."

"Não gosto de Hoffmann, nunca lhe disse isso. Gostaria que citasse autores da minha preferência."

"Você só gosta de Poe."

"Não é verdade. Gosto de Baudelaire."

"Vamos voltar à sua narrativa. Sandro acabou de dar um beijo na sua boca e manifestou estranheza por você não estar usando seu perfume."

"O perfume de Winner. Eu não uso perfume."

"Sim, sim. E o olhar infantil dele se encheu de argúcia."

"Olhar juvenil."

"Sim, sim. Olhar juvenil. E depois?"

"Estávamos no meu quarto. Sandro enfiou os olhos azuis nos meus, novamente, e disse: 'Quem é você?'.

" 'Você sabe quem eu sou: Peter Winner.'

" 'Tira a roupa', disse Sandro.

"Ao me ouvir dizer que eu não ia tirar a roupa, ele abriu os braços e perguntou 'qual é o problema? quantas vezes você já ficou nu na minha frente?'.

" 'Não vou tirar a roupa *agora*, não estou com vontade', eu disse.

" 'Tolo, você não é Peter', disse Sandro com voz macia, 'você não fala como ele, não cheira como ele, não beija como ele, não anda como ele; a coisa mais difícil de imitar numa pessoa é a maneira de ela andar, a menos que se trate de um manco ou de um perneta; você não deve saber olhar as pessoas nas ruas, para supor tão ingenuamente que poderia me enganar.'

"Depois dessa lição de observantia, Sandro gritou ameaçadoramente: 'Onde é que Peter está?'.

"Procurei acalmá-lo dizendo que Peter não pudera vir e me pedira que viesse no lugar dele. 'Ele queria fazer uma brincadeira com essa gente do congresso, você sabe como é o Peter. Ele me desafiou a enganar você, disse que eu enganaria todo mundo mas não enganaria você. Fizemos uma aposta.'

" 'Você perdeu, seu merda', disse Sandro, 'onde é que Peter está?'

" 'Em Paris', eu disse, 'ele vai me telefonar hoje à meia-noite, você então fala com ele, que lhe explicará tudo, não se irrite, você está me assustando com esses gritos; olha', continuei, 'eu não queria participar dessa farsa, mas Peter me pediu, depois me desafiou.'

" 'Como você conheceu Peter?'

" 'Por acaso, em Paris', respondi, 'ele me viu na rua e depois de dizer que éramos muito parecidos e ao saber que eu era um professor desempregado perguntou-me se eu queria ganhar mil dólares. Claro que eu queria ganhar mil dólares e foi assim que cheguei aqui.'

"Sandro me olhou, desconfiado, 'vamos esperar a meia-noite', ele disse, 'esta história toda é muito esquisita'.

"Convidei-o a tomar champanha e Sandro aquiesceu, consultando o relógio, a única vestimenta do seu corpo nu. O champanha chegou, num balde de prata, com duas taças de cristal. Enchi as taças, lentamente. Aguardava uma ocasião propícia para colocar o veneno na taça dele, mas Sandro facilitou as coisas para mim, dizendo que ia ao banheiro. Então pus o veneno em sua taça. Ele voltou do banheiro, sempre nu, bebeu o champanha e morreu. Poupo você de maiores detalhes."

"Você precisava matá-lo?", pergunta Clotilde.

"Ele ia me denunciar, quando a meia-noite chegasse sem telefonema algum. E além disso sua nudez me agredia."

"Você matou um homem apenas porque ele se desnudou na sua frente?"

"Não, não... Sim, também por isso."

"O que você fez com o corpo?"

"Vesti-o com suas roupas — já me acostumara a vestir gente morta — e ensaiei, como se fôssemos dois bailarinos, o modo de transportá-lo para a rua. Ele era frágil, pequeno, pesava apenas uns cinqüenta quilos. Passei seu braço direito em torno do meu pescoço, segurei sua mão direita com minha mão esquerda e enlacei-o fortemente pela cintura com meu braço direito, levantando-o um pouco, de maneira que seus pés mal tocavam o chão. Passeei — na verdade, dancei — com ele dentro do quarto, em frente ao espelho. Eu queria que ele parecesse um bêbado sendo conduzido para casa por um amigo dedicado. Quer que eu te mostre como? Põe o braço aqui.''

''Não.''

''Esperei algumas horas, até pouco antes da madrugada, uma hora morta nos hotéis, em que a portaria está sempre ocupada por funcionários menos competentes. Saí com Sandro, passei pela portaria dizendo ao porteiro sonolento e desinteressado que meu amigo se excedera na bebida. Carreguei o corpo franzino do morto pelas ruas até ficar cansado. Deixei-o sentado numa das cadeiras de calçada, presas à mesa por correntes para que não fossem roubadas, de um bar àquela hora fechado. Tirei todo o dinheiro do seu bolso e o relógio de pulso, do qual me livrei ao voltar para Paris.''

''E o corpo não foi achado?''

''Foi. Saiu uma notícia pequena nos jornais, dizendo que Sandro Morelli — esse era seu nome completo — tinha uma ficha criminal de prostituição masculina, furto e outras infrações menores. A polícia voltou sua atenção para pistas falsas, suspeitos inocentes. Mais uma vez eu fora salvo pela estupidez da polícia.''

''Não sei o que pensar'', diz Clotilde. ''Você não me parece um assassino reincidente. Mas sinto que é tudo verdade. E me pergunto, serei a próxima?''

''Deixa eu morder teu joelho'', diz Landers, deitando-se de costas no chão.

Clotilde, inteiramente nua, ajoelha-se sobre Landers de forma a que o tórax do homem fique entre suas pernas abertas. Depois levanta um dos joelhos e encosta-o na boca de Landers. Ele morde a rótula de Clotilde, deslocando o osso suavemente. Depois morde o outro joelho.

''Morde minha clavícula'', diz Clotilde, curvando-se sobre ele.

''Com mais força. Pobrezinho...''

181

* * *

Na manhã do dia seguinte, quando Landers acorda, Clotilde não está na suíte. Landers telefona pedindo uma garrafa de champanha. Enquanto bebe reflete que Calvino está certo quando sintetiza uma verdade, por todos conhecida, com o axioma: *Quem comanda a narrativa não é a voz, é o ouvido*. Sua ouvinte, sua adorável ossuda Clotilde, entendeu a história que ele contou de maneira pessoal e única. Ele disse uma coisa, ela ouviu outra. Assim é a vida. Assim são as histórias. Beckett tinha quistos no ânus; Luís XIV teve um tumor nesse mesmo orifício durante grande parte da sua longa vida; Landers conhece histórias não só de reis ou poetas, mas também de filósofos, heróis, santos, deusas e outros pobres-diabos cujas células se descontrolaram nessa parte recôndita do corpo. O que isso significa para ele, que sofre de prisão de ventre, não é o mesmo que para Clotilde; esta, logo ao acordar senta-se no vaso sanitário e expele um excremento comprido, grosso, espesso, íntegro, uma única peça de delicado tom marrom-claro que, ao término de sua fácil expulsão, assume a finura de uma ponta de lápis, sem deixar vestígios no esfíncter. Clotilde acredita que ele quer ser descoberto e punido pelo seu crime. Não é verdade, o problema não é de pecado e confissão. É mais complicado.

Depois de beber toda a garrafa de champanha sente sono e volta a dormir. Acorda com batidas na porta, às quatro da tarde. Nota a sala da suíte em desordem, a garrafa no chão, a mesinha virada, o abajur quebrado. Abre a porta, inteiramente nu, supondo que é Clotilde quem bate.

Um homem de barbicha branca e maleta preta, que parece não notar a nudez de Landers, diz, de maneira firme e oxítona: "Boa tarde, monsieur Winner. Posso entrar?".

"Quem é o senhor?"

"Doutor Prévost", diz o homem. Afasta Landers gentilmente e entra na suíte.

"Onde está a Manon?", pergunta Landers.

O doutor Prévost sorri. "Sua mulher já me havia avisado sobre seu senso de humor." Muda de tom: "Como está se sentindo?".

"O que o senhor está fazendo aqui?"

"O senhor mandou me chamar. Minha enfermeira ligou para o hotel confirmando que eu chegaria às quatro horas. Sua esposa atendeu e eu falei pessoalmente com ela. O senhor não tem um pijama, uma coisa qualquer para vestir?"

"Não vou vestir pijama algum nem vou botar a língua para fora para o senhor examinar. Retire-se doutor, ah, Prévost."

"Calma, monsieur Winner. Estou aqui para ajudá-lo."

Landers pega o telefone e liga para a portaria.

"Um louco que se diz chamar doutor Prévost invadiu meu apartamento. Favor mandar alguém para expulsá-lo."

Landers ouve o homem da portaria pigarrear nervoso.

"O doutor Prévost... hum... Ele foi chamado por sua esposa. Ele é um médico muito competente, monsieur Winner, sempre atende nossos clientes em casos como... hum... Muito competente... Não se preocupe. O senhor pode confiar nele."

"Mande uma garrafa de champanha", diz Landers.

"Sim, monsieur Winner."

"Doutor Prévost, isto tudo isto é um equívoco. Minha mulher deve ter enlouquecido. O senhor pode ir embora. Quanto é que lhe devo?"

"Seu aspecto não é bom, monsieur Winner. Deixe-me ajudá-lo."

"Vá pro inferno", diz Landers em inglês.

"Sugiro que o senhor vista uma roupa e venha comigo", diz o doutor Prévost, também em inglês.

"Se o senhor não se retirar imediatamente eu lhe dou um soco", diz Landers, voltando a falar em francês.

O doutor Prévost, depois de ligeira reflexão, balança a cabeça sabiamente e retira-se.

Landers anda pelo apartamento, pisa nas gravuras emolduradas de vidro que enfeitavam a parede e que agora estão no chão, quebradas.

Clotilde, desgraçada, traidora, você me armou uma armadilha, pensa Landers.

Não tem tempo a perder. Pega o telefone.

"Ligue para a polícia. Quero falar com o inspetor Papin."

Papin não demora muito.

"Aqui é Peter Winner", diz Landers. "O senhor podia vir ao meu hotel?"

"Agora, monsieur Winner? No momento estou muito ocupado."

"Tenho uma confissão a fazer. Um crime de morte. Dois na verdade. Eu matei Peter Winner. Meu nome verdadeiro é John Landers."

"Sim, sim, monsieur Winner, mas agora eu não posso passar aí." Sua voz é delicada e paciente.

"Matei uma outra pessoa."

"Sei, monsieur Winner, o senhor matou também o indivíduo conhecido como Sandro Morelli. Mas agora, como disse, estou muito ocupado. Vamos deixar isso para outro dia. Terei muito prazer em conversar com o senhor. É um dos meus autores favoritos. Hum... Já esteve com o doutor Prévost?"

"Você não passa de um flic imbecil", diz Landers em inglês.

"Como?"

"Você é um cretino, como todos os policiais", diz Landers, agora em francês.

"Daupin também?", diz Papin com ironia.

Landers desliga o telefone. Clotilde, Clotilde, a pérfida, havia contado a história de Sandro para Papin como se fosse mais uma alucinação dele, havia criado aquela desmoralizante e insidiosa trama.

Liga para a portaria. "Onde está o champanha que pedi?"

"Estamos sem champanha no momento, monsieur Winner."

"Mande uma garrafa de brandy então."

"Nossas bebidas alcoólicas acabaram. Podemos mandar uma Perrier."

Landers num acesso de cólera joga o telefone na parede. Depois deita-se, infeliz.

Anoitece. Aos poucos reconhece ser insensata a vontade que domina sua mente de matar Clotilde tão logo a encontre, esganando-a com as próprias mãos. Lembra-se do que Ellroy disse no primeiro dia do festival, referindo-se aos autores de roman noir, "nós somos os continuadores da tragédia grega". Pensa no *Édipo rei*. Ali, também o enigma (da esfinge) não é o essencial, solucionar a charada é apenas resultado de uma cilada do destino para que Édipo, depois de matar o pai, case com a mãe e cometa o outro crime, o mais grave, o do incesto. Freud, o admirador de Conan Doyle, confirma.

O telefone toca.

"Por que você fez isso comigo, Clotilde?"

"Não podia deixar você ser preso. Eu te amo."

"Sou um assassino."

"Não é mais. As pessoas mudam. Você mudou. Quem morreu foi John Landers. Você é Winner, aceite isso como uma imposição do destino."

"Mas você não entende? Pelo amor de Deus, eu quero voltar a ser Landers."

"Agora é tarde", diz Clotilde. "Acabei de falar com Prévost e Papin. Eles estão certos de que você enlouqueceu. Eu disse a Papin que você teve um surto psicótico e está querendo fazer duas confissões falsas, que isso acontece periodicamente com você. Quer saber uma coisa interessante? O assassino de Sandro Morelli está na prisão. Um rufião, que confessou a autoria do crime."

"Fui eu, fui eu", diz Landers desesperado, "você sabe que fui eu que matei Sandro."

"Não sei, não. Sei que te amo. Estou aqui em Paris te esperando. Pegue o trem amanhã e venha para cá. Eu te amo."

"Há ainda o último segredo, o mais terrível de todos, que eu ainda não contei para você."

"Um terceiro segredo?"


## A CILADA DOS DEUSES:
## TERCEIRO E ÚLTIMO SEGREDO DE JOHN LANDERS

"Tão agoniante que se não estivéssemos falando ao telefone talvez me faltasse coragem para contar a você."

"Vem para perto de mim. Estou te esperando."

"É ainda sobre a morte de Winner."

"Mas eu já sei tudo sobre a morte de Winner."

"Não, não sabe. Lembra-se de quando fui aos Estados Unidos no início do ano? Contratei um detetive particular para investigar meu passado. Eu sempre quis saber quem eram meus verdadeiros pais. Alguns filhos adotados amam seus pais postiços, mas eu odiava os dois infelizes que me haviam escolhido para filho. Eu tinha certeza de que o meu pai verdadeiro tinha de ser melhor do que aquele sujeito gordo, patriota e moralista. E que a mulher que havia me gestado em seu ventre não podia ser feia e burra como a minha falsa mãe. O detetive não demorou a descobrir tudo. O meu verdadeiro pai era um pobre-diabo que foi preso várias vezes por pequenos furtos e acabou se matando. Vi o retrato dele, e quero esquecer como era seu rosto. Minha mãe verdadeira ainda estava viva. Pediu dinheiro ao detetive para lhe contar a seguinte história, que vou resumir. Pouco antes de meu pai se matar, ela parira dois filhos gêmeos. Esses dois meninos foram entregues para adoção. Um foi adotado por um casal de nome Landers, de Boston, e o outro por um casal de nome Winner, de Harrodsburg. Você entendeu a tragédia?"

"Não."

"Winner era meu irmão gêmeo."

"Vem para perto de mim, querido, e me conta toda essa história."

"Eu matei meu irmão, você não está entendendo? E, pior do que isso, eu o desprezei e odiei nos breves e únicos momentos em que estivemos juntos."

"Você não sabia... Não se culpe..."

"Não tive nem a inteligência nem a sensibilidade de perceber que ele era meu irmão."

"Também ele não teve. Estou à sua espera, meu amor."

Com as mãos bem perto do bocal do telefone, para que Landers ouça com clareza, Clotilde estala com fragor sensual os ossos dos dedos. Um dos seus mais sedutores e irresistíveis truques.


Enquanto vê, da janela de sua suíte no hotel, os Alpes surgirem com as primeiras luzes do dia, Landers desenvolve um raciocínio estremunhado: toda literatura, vista de uma determinada perspectiva, pode ser considerada "de evasão". Diferente, porém, da evasão sedativa ou alienante da música. Escritores e leitores, por saberem que não são eternos, evadem-se, nietzschianamente, da morte. Quando se lê ficção ou poesia está-se fugindo dos estreitos limites da realidade dos sentidos para uma outra, a que já disseram ser a única realidade existente, a realidade da imaginação. Vem à mente de Landers a história de um idiota que percorria todos os dias as ruas de uma aldeia de pescadores gritando "eu vi a sereia, eu vi a sereia!" e que um dia viu realmente a sereia e ficou mudo. O poeta é como esse bobo da aldeia? Se o confronto com a realidade ofuscar sua imaginação ele também ficará mudo?

Landers imagina Baudelaire, o grande sifilítico, vagando moribundo pelos bordéis de Bruxelas; Poe morrendo de delirium tremens em Baltimore. Eles sabiam que as palavras eram suas inimigas. Pensa nele mesmo, John Landers, condenado a ser o irmão que assassinou.

Veste-se.

Faz frio neste final de outubro e a rue du Quatrième Régiment du Génie, em Grenoble, por onde Landers agora anda, está vazia às seis horas da manhã. Um homem abre a porta de uma peixaria e coloca sobre um extenso balcão, repleto de frutos do mar, um cartaz onde escreveu à mão *les huîtres nouvelles sont arrivées*.

Além das ostras há uma infinidade de conchas de variadas cores, texturas e formas — redondas, piramidais, espiraladas, algumas disformes, umas cheias de estrias, outras lisas como um espelho, todas escondendo cautelosos indivíduos vivos. Há ainda gigantescos caranguejos negros de garras ameaçadoras, cercados de lagostas aberrantes. Habitantes das águas, a lembrar a afirmativa de Bachelard de que essa é a matéria de Poe, uma água especial mais profunda e morta que todos os líquidos abissais que existem.

Estes seres das águas, com sua aparente concretude impenetrável, lhe causam, a princípio, uma sensação de assombro e de impotência. Mas logo percebe que os indícios que aqueles organismos estranhos lhe fornecem não são tão indecifráveis assim. O canto que entoam as sereias e o nome que Aquiles adotou quando se escondeu entre as mulheres são mais misteriosos. Mas, no fim, tudo é conjeturável. A vida tem um valor, que ele, agora, percebe qual é; e a morte, uma densidade absoluta, agora presumível. Sente que atingiu um ponto de equilíbrio, uma sabedoria que não é nem a do poeta nem a do filósofo, mas a do bobo da aldeia depois que viu a sereia.

$\sqrt{150}$     125 — 30 each

ESTA OBRA FOI COMPOSTA PELA HELVÉ-
TICA PRODUÇÕES EDITORIAIS EM GA-
RAMOND LIGHT E IMPRESSA PELA
GRÁFICA EDITORA HAMBURG EM OFF-
SET PARA A EDITORA SCHWARCZ EM
ABRIL DE 1992.